ザ・ランド・オブ・ストーリーズ

THE LAND OF STORIES

マザー・グースの日記

THE MOTHER GOOSE DIARIES

CHRIS COLFER

クリス・コルファー

田内志文＝訳

平凡社

THE LAND OF STORIES
ザ・ランド・オブ・ストーリーズ

マザー・グースの日記

THE MOTHER GOOSE DIARIES

BY
MOTHER GOOSE
WITH
CHRIS COLFER

マザー・グースの日記

マザー・グース
with
クリス・コルファー

世界で最高《さいこう》のガチョウ、レスターに。

でも着陸《ちゃくりく》はもっと練習すること。

CONTENTS

警告《けいこく》ならびにはしがき 11
100DA（ドラゴン時代《エイジ》） 14
100AD（ドラゴン時代《エイジ》のあと） 20
5GA（黄金時代《ゴールデン・エイジ》） 27
7GA 37
10GA 41
1349年 ロンドン（アザーワールド） 56

1428年 フランス 71
1503年 イタリア 78
1519年 イタリア 84
1532年 ロンドン 87
1565年 ロンドン 91
1590年 日本 96
1719年 カリブ海 101
1774年 ヴェルサイユ 104

1775年　コルシカ　109
1869年　ワシントンD・C　115
1886年　テキサス　119
1938年　南太平洋　124
1942年　イングランド　128
1954年　ハリウッド　130
1963年　ワシントンD・C　134
1969年　ウッドストック　137

1970年 ラスヴェガス 139
1976年 マンハッタン 142
2015年 ワシントンD・C 145
さいごに 148
訳者《やくしゃ》あとがき 153

警告《けいこく》ならびにはしがき

さあ、ときがきた。機密保持契約《きみつほじけいやく》も期限《きげん》ぎれになったし、裁判所《さいばんしょ》からの召喚状《しょうかんじょう》も届《とど》かなくなったし、顔を合わせたらまずい王さまもみんな死んじまったし、私《わたし》がお金を借《か》りているマフィアのボスもみんな今や檻《おり》の中だ。さあ世界よ、ごらん！　ついにマザー・グースの日記を世に出すときがきたんだ！

だれかの自伝《じでん》なんかをおもしろいと思ったことは、一度もありゃしない。世の中には注目されたくてたまらない知ったかぶりの連中《れんちゅう》が山ほどいるけれど、私がそいつらの話を聞くくらいなら、靴の家《シュー・イン》のおばあさんとランチでもするね。私の目を引こうと思うなら、なにか特別《とくべつ》なものが必《ひつ》要《よう》だ。私はいつでも、すごい人たちの大冒険《だいぼうけん》や、大混乱《だいこんらん》の時代に苦しむ大都市や、ただごとでない災難《さいなん》と立てつづけにおこる事件《じけん》の数々や、本当に信《しん》じていいかもうたがわしい作家本人の語りっぷりが大好《だいす》きなんだ。そう、だからこそ、自分の日記を読み直してやろうと思ったにちがいないのさ！

こいつを取っておいて、本当によかったよ！　ずっとむかしから酔《よ》っぱらっては狂《くる》ったようなどんちゃんさわぎをしてきたけれど、ほとんどすっかり忘《わす》れちまった。あまりにもあちこちで、ことばを話す動物と言い合いをしたり、魔法《まほう》をかけた銀の食器《しょっき》と真夜中に大さわぎをしたり、そんなことばかりつづけていると、記憶《きおく》なんて残《のこ》りゃしないもんなのさ。

最高《さいこう》に楽しかったときや、最悪《さいあく》な思いをしたときをふり返るってのは、なかなか楽しいもんだ。いや、超楽《ちょう》しいって言ってもいいね。だから、それを世界じゅうとわかち合わないと悪い気がしてしまうんだよ。ないしょにしてたってだれも得《とく》なんかしやしないし、レスターだって、何度も何度もおんなじ話を聞かされてすっかりうんざりしてるときた。では世界じゅうのご要望《ようぼう》にこたえて、ぼろぼろの日記帳の羊皮紙《ようひし》に書かれた私の日記から、とびきりのできごとを選《えら》んでお届けしよう（革《かわ》よりも長生きしちまうと、自分が年寄《としよ》りになったと思い知らされるものさ）。

さてと、私がかかわることはいつだってそうだけれど、この日記についてもまずは警告しておかなくちゃいけない。いかんせん歴史の話になると、ついつい口やかましくなる連中はいるもんだ。だから、上から目線で「それは正確《せいかく》じゃない」なんて言うくらいなら、なにかほかのもんでも読むんだね。それと、もし私の話をうたがう、いわゆる学者ってやつがこれを読んでるなら、ひとつはっきり言っておくよ。私はその場にいて、この目で目撃《もくげき》して、ちゃんとすべてを体験《たいけん》したんだ。あんたたちが教わった歴史《れきし》や、逆《ぎゃく》に教えている歴史とくいちがっていたところで、そんなのは私の知ったことじゃない。

よく言うだろう？　「歴史とは、最後《さいご》までつぶれることなく飲みつづけた酔っぱらいが作るものなり」ってさ。いや、これは私のことばだったかね……。なにはともあれ、あんたたちの疑問《ぎもん》にはひとつ残らず、この日記が答えてくれることだろう。さあ、ごらんあれ！

Dragon Age
100DA
（ドラゴン時代《エイジ》）

大切な日記帳へ

今日はドラゴンがこの惑星《わくせい》の覇者《はしゃ》になってから、ちょうど百周年《しゅうねん》の記念日《きねんび》だ。そして偶然《ぐうぜん》この私《わたし》の十三回目の誕生日《たんじょうび》でもあるのだけれど、まったく私にとっちゃ過去最悪《かこさいあく》の誕生日だ。二か月前、ママとパパはミュージシャンになる夢《ゆめ》を追《お》い求《もと》め、旅立っていってしまった。そして私には路上生活よりマシな暮《く》らしをしてほしいと言って、妖精《ようせい》たちと暮らすよう妖精の宮殿《きゅうでん》に送りこんだんだ。

　妖精たちといっしょに暮らしているとたまに、きらめく光とにこにこ笑顔《えがお》にまみれた、虹色《にじいろ》にかがやく宗教団体《しゅうきょうだんたい》に入ってしまったような気持ちになる。妖精の王国じゃ、だれもかれも白魔法《しろまほう》と人助けに取りつかれているみたいだ。私はまるで妖精の宮殿にまぎれこんだ黒い羊みたいだし、おかげでみんなからきらわれている。廊下《ろうか》で会えばみんないつでも私に嫌味《いやみ》を言うし、魔法の授業《じゅぎょう》では丸めた紙きれを投げつけてくる。ママもパパも、どうせなら私をトロルやゴブリンたちのもとに置《お》きざりにしてくれればよかったのに。そうだったなら私だって、いじめっこにヘッドロックをかけたりもせずにすんだはず。

ここで友だちを作るのは本当にむずかしいから、私は日記を書きはじめた。ひとりだけ、私よりほんのすこし年上の女の子がいて、その子だけは友だちになれるかもしれないと思っている。ここではみんなその子が大好《だいす》きで、大きくなったらリーダーになると思っている。なぜだかわからないけれど、その子は私を本当に気に入って、いつでも気にかけてくれている。名前も知らないけど、だれかが私にいやがらせをするたび、私のために立ち上がってくれるのだ。

今日が私の誕生日なのをおぼえていてくれたのは、その子だけだった。私のためにケーキを焼《や》いてくれたのだけど、食べる私を見て、食べすぎだとお説教《せっきょう》してきた。

「お気をつけなさい。具合が悪くなっちゃうわよ」

「母親づらしないでよね」私はムッとした。「ほとんど同い年なんだからさ」

「母親づらする気なんてさらさらないけれど、だれかがあなたを気にかけてあげなくちゃだわ。ここで妖精たちと暮らしているあいだは、私をゴッド、マザー、だと思うようにしなさい」

「私のフェアリー・ゴッドマザーになりたいっていうの？」私はたずねた。

「フェアリー・ゴッドマザー？」その子が顔をしかめた。「バカなこと言わないで」

あの子がなにかにいやな顔をするところなんて、初《はじ》めて見た。私は思わず、からかってみずにはいられなくなった。

「もう手おくれね！　だって今この瞬間《しゅんかん》から、あなたをそう呼《よ》ぶって決めちゃったんだもの！」

「フェアリー・ゴッドマザーね」あの子が笑《わら》った。「あなたとお友だちになれるなら、なんでもいいわ」

やさしくされるのには、まったく慣《な》れていない。だれかにやさしくされるといつも、まるでマーメイド・シチューでも食べたみたいに胃《い》の底《そこ》がムカムカしてしまう。

「どうしてそんなに私にやさしくするの？」私はたずねた。「ほかの妖精たちはみんな私にがまんできないっていうのに、なんで友だちになんてなろうとするの？」

「説明《せつめい》できないけれど、いつでも人を気にかけているのが好《す》きなのよ。趣味《しゅみ》みたいな

ものね。あなたはどんな趣味があるの?」

「トランプをしたり、お酒が入った棚《たな》のカギをこじあけたりするのが好きだわね」私は答えた。「だから、あなたと友だちになれるような人間じゃないのよ」

「ねえ、冗談《じょうだん》で言ってるの? 私は、まさにそんな友だちがほしいのよ! あなたはみんなとちがう……でもちがうというのはすばらしいことだわ! 人とちがえばちがうほど、人生はドキドキでいっぱいになっていくんだもの! この宮殿のみんなは、それがわからないのよ。そのへんを飛《と》びまわってる、完璧《かんぺき》でカラフルな妖精たちにはもううんざりだわ……楽しくもなんともないんだもの! もっとスリルや興奮《こうふん》にあふれたことがあるのなら、なにを捨《す》ててもかまわないわ!」

「その気持ち、わかるな」私は答えた。「ずっと、妖精の宮殿から抜《ぬ》けだしてドラゴンをつかまえに行こうと思ってたのよ! いっしょに行く? スリルと興奮を味わいたいなら、きっとぴったりよ」

あの子はまるで、そんなすばらしい話は聞いたことがないとでもいうように、目をキラキラさせた。「行きましょう!」

名前を聞いたことはなかったけど、このフェアリー・ゴッドマザーは私にとって、いちばん友だちに近い存在《そんざい》になるんじゃないだろうか。もしかしたらこの誕生日は、そんなに悪い一日じゃないのかもしれない。

After Dragon
100AD
（ドラゴン時代《エイジ》のあと）

大切な日記帳へ

ドラゴンが絶滅《ぜつめつ》してから百年になるけれど、最近《さいきん》、あのおっかない化けものたちがなつかしくなってきた。勘《かん》ちがいしないでおくれ。絶滅する前は、本当に最悪《さいあく》のやつらだったんだから。なにもかも燃《も》やしつくされ、すっかり灰《はい》になってしまった！　あたりにはいつでも煙《けむり》が立ちこめていた！　田舎《いなか》の人たちは命を守ろうと、いつでも駆《か》けまわっていた……必要《ひつよう》がないときでも、いつでもだ！　ドラゴンどものせいですっかり恐怖《きょうふ》に取りつかれてしまい、いつおそわれるかわからないとばかりに、村のまわりをぐるぐる逃《に》げまわっていた。あのバカでかい爬虫類《はちゅうるい》がそのへんを飛《と》びまわっているもんだから、みんな心が休まらなかったんだ。

ドラゴンどもを追いはらうのは本当に大変《たいへん》だったけれど、

妖精《ようせい》たちと私《わたし》はなんとか力を合わせてやりとげた。そして、王国に住む人びとを落ちつかせてやろうと、それからずいぶんと骨《ほね》を折《お》った。だけど私はどうしても、ドラゴンたちを滅《ほろ》ぼして本当によかったのか、考えずにはいられなかった。あまりにも退屈《たいくつ》になって、やることもなくて頭がどうかしてしまいそうだった！

そりゃあ、火の息で黒こげにされるのも、しっぽでひっぱたかれるのも、おそわれて逃げまどうのも二度とごめんだったけれど、ドラゴン退治《たいじ》はそりゃあ楽しかった！もちろん危険《きけん》だしこわかったのはたしかだけども、刺激的《しげきてき》でたまらなかった。それに、超満員《ちょうまんいん》の闘技場《とうぎじょう》でちびドラゴンたちとレスリングをして、たんまり稼《かせ》がせてもらったしね。

いまやだれもかれも、救《すく》いや変化《へんか》を必要としているまぬけな娘《むすめ》たちの話でもちきりだ。まずはシンデレラ、次に眠《ねむ》れる美女の話にみんな夢中《むちゅう》になった。そして次は白雪《しらゆき》姫《ひめ》の話題でもちきりになり、今はラプンツェルとかいう娘がスポットライトをあびている。やれやれ、いちいち思いだすのも面倒《めんどう》だ！　チャーミング家の王子たちは、あわれな娘たちを花嫁《はなよめ》にする競争《きょうそう》でもしてるんじゃないだろうか。

それにしても、いったいあの娘たちに名前をつけたのは、どこのだれなんだろうね？　白雪姫なんて、雪のように白い姫《ひめ》っていうんだから、名前というよりも説明《せつめい》じゃないか！　シンデレラだってもとはといえば「灰かぶり姫《シンダー・エラ》」なんていやがらせみたいなことばだ。まったく有名人ってのは、一般人《いっぱんじん》をイライラさせようとして子供《こども》にまぬけな名前をつけるんだろうかね！

人びとがむらがるのは、なにもあわれな乙女《おとめ》たちにだけじゃない。村人どもがなにかおかしなことをすれば、ひとり残《のこ》らず全国ニュースになってしまうんだから。ジャックとジルが丘《おか》から落ちた……それがどうした？　リトル・ボー・ピープの羊が迷子《まいご》になった……それのどこに問題が？　ヒッコリー、ディッコリー、ドック、ネズミが時計を駆けあがる……連絡《れんらく》するなら私じゃなくて、保健所《ほけんじょ》にするんだね！

これじゃあまるで、「注目されたきゃバカになれ」と子供たちに教えているのと同じじゃないか。私が若《わか》いころに尊敬《そんけい》を集めていたのは、ピカピカのよろいをまとった騎士《きし》だとか、勇敢《ゆうかん》な国王なんかだった。みんなに尊敬される人間になろうと思うなら、なにか立派《りっぱ》なことをしなくちゃダメだ。いくら今が地味な時代だからといって、世界じゅうのおろか者たちを片《かた》っぱしからチヤホヤしてやることなんてありゃしない！

フェアリー・ゴッドマザーは、ドラゴン時代が終わって黄金時代に入ったのだと言う。けれど、私に言わせりゃ今は退屈時代だ。なにからなにまでとにかく平和で、幸せで、私はもう頭がおかしくなりそうだ。だれもかれもやたらとにこにこしてるのは、私たちにとってけっしていいことじゃない。またどこかのまぬけが「めでたしめでたし」なんて言ったりしたら、鉄をはめた靴《くつ》のかかとでけり飛ばしてやる。いったいだれが、そんなことを言いはじめたっていうんだろうね？　それに、最後《さいご》には「めでたしめでたし」と言わなくちゃいけないなんて、そんなおかしな話があるかい？

このことばがとても耳ざわりがいいものだから、フェアリー・ゴッドマザーは妖精院《フェアリー・カウンシル》と、そしてあらゆる王国の国王や王妃《おうひ》たちを集めて〈めでたしめでたし会《かい》議《ぎ》〉を作った。私はかかわりたくなんてなかったけれど、フェアリー・ゴッドマザーはいっしょにやってくれと言って聞かなかった。だから、ほんとは遠巻《とおま》きに見物して楽しんでいたいというのに、世界の進歩と繁栄《はんえい》のためにちょいと役に立ってくれと言われているわけさ。

どうして私なんかをそばに置《お》きたいのかはわからないけど、フェアリー・ゴッドマザーには、ちょいと借《か》りがある。あの人の弟子《でし》になれというのを断《ことわ》ってからというもの、ずっと悪いことをしたような気分が消えてくれないんだ。でも、フェアリー・

ゴッドマザーほど、世界じゅうの人びとや生きものたちの暮《く》らしをよくしようと心から願《ねが》っている人なんて、私はほかにだれも知らない。私にあんたの代わりなんてできやしないんだよ！

フェアリー・ゴッドマザーはすばらしい人だし、最高《さいこう》の友だちだ。子供のころから、私たちはずっといっしょだった。楽しいときもつらいときも、いつだってすべてをわかち合ってきたんだ。フェアリー・ゴッドマザーが息子《むすこ》を生んだときには二回とも私が手をにぎってあげていたし、夫《おっと》が死んでしまったときには私が抱《だ》きしめて泣《な》かせてやったものさ。そのお返しにフェアリー・ゴッドマザーはいつでも私の保釈金《ほしゃくきん》を払《はら》ってくれたし、裁判所《さいばんしょ》では性格証人《せいかくしょうにん》として私のために証言台《しょうげんだい》に立ってくれた。あんなことができるのは、フェアリー・ゴッドマザーしかいやしない！

あの人はいつだって、だれにも――私自身にも――見えないなにかを、私の中に見いだしてくれている。ほかの妖精たちならすぐさまガミガミ叱《しか》りつけるようなまちがいを私がさんざん犯《おか》しても、悪いくせがどんなにぬけなくても、フェアリー・ゴッドマザーだけは私を守り、支《ささ》えてくれる。自分ではどんなに信《しん》じられなくても、あなたはすばらしいことを数えきれないほど世界にもたらせるはずって、私に言うんだ。

がっかりさせたりしないよう、私はただ祈《いの》るばかりだよ。

今日が私の二百回目の誕生日《たんじょうび》だとおぼえているのは、フェアリー・ゴッドマザーだけだ。今年もいつもと同じように、ものすごく大きくて悪趣味《あくしゅみ》なケーキを作ってくれた。妖精の宮殿《きゅうでん》を丸焼《まるや》きにできるほど、たくさんのろうそくが立っていた。もちろん愛情《あいじょう》ゆえに作ってくれたんだろうけれど、生まれて二世紀《せいき》もたったんだなんて思いだしたい女がいるわけないじゃないか。今朝どうも目がさめて不機嫌《ふきげん》だったのは、きっとそのせいだろうね。

さあ、いつも不機嫌な女になってしまう前に、なんとかしなくちゃいけない。気分転換《てんかん》するか、まわりの景色《けしき》を変《か》えてみるか……まわりの連中《れんちゅう》をがらりと変えてしまえたら最高だね！　でも悲しいことに、どれを取っても今すぐどうこうできる話じゃない。なにかひとりでできることでも見つけないと、やっかいなことになりそうだ。

趣味《しゅみ》なんていいかもしれない。お酒やギャンブルなんてどうだろうね？　得意《とくい》なことからはじめてみるのがいいと思ってる。

Golden Age

5GA

（黄金時代《ゴールデン・エイジ》）

大切な日記帳へ

やれやれ、ギャンブルなんてしたって、なんにもどうにもなりゃしない。まわりの連中《れんちゅう》に腹《はら》をたてられているばかりか、ほとんど全員から金まで借《か》りている。レスリングで稼《かせ》いだ賞金《しょうきん》も、今じゃあ、すっからかんになってしまった。今度はユニコーンと戦《たたか》うと言ってカムバックしようとしたけれど、ドラゴンほどには人気がでなかった。えらそうな馬を相手にばあさんがヘッドロックをかけるのを見に、わざわざ入場料《にゅうじょうりょう》を払《はら》うやつなんていやしないのさ。

先週はトランプででっかい勝ちをおさめて、とびきりの賞品《しょうひん》を手に入れた。なんと、金の卵《たまご》だ！　だれでも知ってるとおり金の卵というのはだいたい純金《じゅんきん》でできている。けれど運がよけりゃあ、なかにちゃんと赤ちゃんが入ってるんだ！　つまり、いずれ金の卵をポンポン生んでくれる魔法《まほう》のガチョウが出てくるっていうことだよ！

　うれしいことに、トランプからの帰り道、卵の中でなにかが動くのを感じた。まちがいなく赤ちゃんが入ってると思ったね！　これで金持ちになれる！　そうなれば、もうギャンブルで作る借金《しやっきん》なんかに悩《なや》まされることだってなくなるわけさ！　あっちこっちでいろんな連中がめでたい、めでたい、めでたしめでたしを手に入れる手伝《てつだ》いをしてきたけれど、ついに私《わたし》が手に入れる番がきたってわけさ！

　ちび卵になにか不吉《ふきつ》なことが起きるにちがいないという思いにすっかり取りつかれた私は、とにかくありとあらゆる手をつくして守りながら、卵がかえるのを待った。毛布《もうふ》にくるみ、冷《ひ》えたりしないよう暖炉《だんろ》のそばに置《お》いてやった。なでたり、リラックスできるような歌をうたってやったりもしたものさ（もっとも私のひどい声でうたってやったところで、卵の中の赤ちゃんはきっと、沈《しず》んでいく船に乗ってるんだと思ったにちがいないけれどね）。

　やがて、やっとのことでおちびちゃんが卵のからをつつきだした。いい子だ！　からがすっかり割《わ》れていくのをながめながら、いずれどんどん卵を生ませてどんな贅沢《ぜいたく》をしてやろうかと考えていた。〈人魚の入り江《い　え》〉にビーチ・ハウスを買おうか、それとも〈チャーミング王国〉の田舎《いなか》に別荘《べっそう》でも買おうか、それとも〈ドワーフの森〉に山小屋でも手に入れようか……次から次へと思いうかんで、止まらなかった！

けれどあいにく、大金はそう簡単《かんたん》には手に入りそうもなかった。卵から出てきたガチョウは、なんとオスだったんだ！　そう、卵なんて生めやしないオスのガチョウさ！　ゴージャスな夢《ゆめ》に、さよならのキスでもした気分だったよ。

でも赤ちゃんガチョウの目を見た私は、がっかりするどころじゃなかった。まるでとがめるような目をして私をじろじろながめまわしていたんだ。赤ちゃんガチョウは、私に向かってひと声鳴いてみせた。鳥のことばはほかの動物のことばとちがってそんなによくはわからないけれど、それでもなんと言ったのかはわかった。「こんなはずがあるか。あんたが僕《ぼく》のママだなんて、ありえない！」って言ったのさ！「がっかりしたって言いたいのかい？　あんたは私の退職金《たいしょくきん》になるはずだったんだよ！　なのにいったいどうすりゃいいっていうんだい？」私は言ってやった。

ガチョウは私のおなかを見て、もう一回鳴いた。「そのおなかを見ていると、なんだかいやな予感がするんだけど」とでも言いたげにね。

「食ったりなんかするもんか、まったく自意識過剰《じいしきかじょう》なガチョウだね」私は答えた。「鳥くさくて、私の口には合いはしないよ。見てるだけで下痢《げり》になっちまいそうさ」

　そんなにひどいことばなんて聞いたこともないとでも言いたげに、ガチョウがくちばしをさげた。まあ、本当に聞いたことがなかったんだろうね。なにせ、まだ生まれたてなんだから。

　ガチョウはドアに向かって歩きだし、まるで「僕はまだ金の卵から出てきたばっかりなんだ！　こんな目にあわされるおぼえはないよ！」というように、ひと声鳴いた。

「ドアでしっぽをはさむんじゃないよ！」私は、ガチョウの背中《せなか》にさけんでやった。「外に出たらせいぜい気をつけな！　鳥肉が大好物《だいこうぶつ》の動物どもが、わんさか腹《はら》をすかせて待ってるだろうからね！」

　乱暴《らんぼう》にドアを閉《し》め、ガチョウは私の家を出ていった。赤んぼうだっていうのに、びっくりするほどの力だった。けれど、私は腹をたてたりはしなかった。たかが赤ちゃんガチョウのかんしゃくに腹をたてるような女じゃないんだ。

　私はグラスにブクブクちゃんをそそぎ、お気に入りのゆり椅子《いす》にゆったりと腰《こし》かけた。そのままひとりきりの静《しず》かな夜にひたっていたかったけれど、あのちびガチョウ

のことがどうしても頭からはなれてはくれなかった。

いったいなんてことをしてしまったんだろう？　生まれて一時間もたっちゃいないというのに、丸腰《まるごし》のまま森に出ていけと言ってしまったのだ。こんなところでボケッとすわっていないで、あの子を見つけてやらなくちゃ！　手おくれじゃありませんようにと、私は祈《いの》った。

ランタンを頭の上にかかげ、私は森に駆《か》けこんでいった。前の夜に雪がふってくれたおかげで、森の中へとつづいていく小さなあの子の足跡《あしあと》が見えた。そして、森のまんなかで野原に立っているちびガチョウの姿《すがた》を見つけた。うれしいことに、まだ生きていた……でも、ひとりきりじゃなかったんだ！

つやのない黒い毛皮とまっかな目をした、それはそれは大きなオオカミが一頭、あの子のまわりをぐるぐると歩きまわっていた。かわいそうにちびガチョウは、ガタガタとふるえていた。どうやらオオカミの息がひどくくさいのか、くちばしの上についた鼻の穴《あな》を翼《つばさ》の先でふさいでいた。

「みじめなみじめなちび鳥め」オオカミが言った。「こんな森の中、守ってくれる父ガチョウも母ガチョウもおらんとはな。ひとりで森にやってきたちびガチョウどもがどうなるか、おまえは知らんのかな？」

オオカミはするどくとがった牙《きば》をむき出して、いやらしく笑《わら》った。ちびガチョウは「あなたに道を聞いたの、めちゃくちゃ後悔《こうかい》してるんだ」といわんばかりにひと声鳴いてみせた。

「こら！　その子からはなれな！」私はさけんだ。

「だれだ！」オオカミがこっちを向いた。

「ガチョウの母親《マザー・グース》とでも言っておこうかね！　うちの子に、なにかおかしなまねをしてごらん！」

「うちの子だと？」オオカミは、私に驚《おどろ》いた顔なんてちらりともせず大笑《おおわら》いしてみせた。「バカなばあさんだ！　デザートにされちまう前に、さっさと帰ってあみものでもしてるんだな」

あみもの？　ばあさん？　どうやらこのまぬけ、よっぽど死にたいらしいね。

「わたしゃ、あみものなんてするタイプじゃないのさ、ワンちゃん」私はそでをまくりあげ、自分の腕《うで》をオオカミに見せつけてやった。「この傷《きず》が見えないかい？　あんたの三倍はでかいドラゴンとレスリングしたときにできた傷さ……それも、ただのおもしろ半分でね！　そのおぞましい口に生《は》えた牙を一本残《のこ》らずへし折《お》られたくなけりゃ、その子をほっといて、どっかでフルーツ・サラダでも食うこったね！」

オオカミはこっちをにらみつけてうなり声をあげると、私とちびガチョウだけを残し、森に逃《に》げこんでいき、それっきりもどってこなかった。ちびガチョウはほっとしてため息をつき、両目に感謝《かんしゃ》の光をキラキラとうかべて私を見つめた。そしてよちよちと私の足元に歩いてくると、「よろしくね、マザー・グース」とでも言いたげに鳴いた。

自分を母親向きだなんて思ったことは一度もなかったけれど、そのことばにキュンときてしまった。そして、もし養子《ようし》にするのならば、二百歳《さい》にならない、まだまだ元気なうちのほうがいいんじゃないかと思った。それに、この子にはほかに頼《たよ》る人なんてだれもいやしないんだ。

「このあたりじゃあ、私ほどいい母親はきっと見つかりっこないだろうね。たぶんほかの連中は、ゆっくりあんたの世話ができるほどがまん強くなんてありゃしないよ」

ちびガチョウは肩《かた》をすくめた。まるで、自分は厄介者《やっかいもの》なんだとわかっているみたいにね。

「さて、それじゃああんたのことをなんて呼《よ》ぶとしようか？」

ちびガチョウはまた鳴いた。「エンリケ・ロドリゲスってのはどう？」

「レスターって名前がいい」私は答えた。「昔いっしょに酒場でさわいだ飲み仲間《なかま》に、最初《さいしょ》の子供《こども》が生まれたら名前をもらうって約束《やくそく》してたんだよ。あんたは、それにいちばん近いと思うからね」

ちびガチョウはあきれ顔をしてため息をつき、また鳴いた。「わかった。レスターでいいよ。さあ、おうちに入らない？　外がこんなに寒いなんて、だれも教えてくれなかったもの」

先週、レスターと私はまる一週間をかけておたがいを知り合い、だんだんといっしょの暮《く》らしに慣《な》れてきた。


流し台に羽根を落とすんじゃないよ。

食卓《しょくたく》にものを吐《は》きだすのはおよし。

床《ゆか》はトイレじゃないんだっておぼえときな。

そんな感じで、私たちはいかにもルームメイトになったばかり、といった会話をあれこれとした（こういう話をしたルームメイトは初《はじ》めてじゃなかったけれど、長い話になるからやめておこう）。大変《たいへん》な一週間だったものの、面倒《めんどう》ごとはぜんぶ解決《かいけつ》できたと思ってる。

どうやらマザー・グースも、だんだんと板についてきたようだ。〈めでたしめでたし会議《かいぎ》〉の連中は、レスターのお世話の話をする私をすっかり気に入ったようで、今じゃあみんな私をそのニック・ネームで呼ぶようになっている。

私にとっても、そのほうが都合よかった。というのも、最近《さいきん》ギャンブルでこしらえつづけた借金のせいで、名前を変《か》えなくちゃいけなかったからね……。

7GA

大切な日記帳へ

ここのところ、レスターと私《わたし》はどうもうまくいかない。いつもボヤッとしていないでなにかして働《はたら》けと、決まって言《い》い争《あらそ》いになるのだけれど、あの子ときたらどうやらこれっぽっちもやる気がないときた。私が仕事に出ているあいだも、日がな一日家ですわりこんでジャンク・フードを食べてばっかり。おかげでまるまると太って、まるで馬みたいにでっかくなってしまった。だから、馬みたいに使ってやることに決めたわけだよ！

長いこと、どこかに行くときには魔《ま》法《ほう》でテレポーテーションしていたけれど、私はどうもこいつが苦手だ。いつも、壁《かべ》や戸《と》棚《だな》の中に出てしまう。二日酔《ふつかよ》いの日には、なおさらだ。だからある昼さがり、私は手《た》綱《づな》と鞍《くら》を買って帰り、そいつをレスターに取りつけたんだ！　意地でも便利《べんり》に使ってやろうと思ったのさ。

レスターは、ぜんぜん乗り気じゃなかった。鏡《かがみ》にうつる自分の姿《すがた》を見て、首を横にふってみせてから「悪ふざけはやめてよ」と鳴いた。

「さあ、風が変《か》わっちまう前にテスト飛行《ひこう》といこうじゃないか！」

初《はじ》めての離陸《りりく》は楽勝だった。レスターは、私を乗せたら重くなるから助走をつけないと飛《と》べないと言《い》い張《は》ったけれど、きっとわざとぐずってみせたんだろう。すぐいい気になるのがわかりきっているから言わないけれど、レスターの飛行はみごとなものだった。けれどなかなか私の言うほうに飛ぼうとしないものだから、おとなしくなるまで手綱を引っぱりまくった。切れちまわなかったのが不思議《ふしぎ》なくらいさ。

だれも信《しん》じないかもしれないが、翼《つばさ》のついた生きものに乗ったのは、レスターが初めてじゃない。ドラゴン時代には、シュナップスって名前のドラゴンを飛ばしたものさ。まったくみにくいドラゴンだったね！　ブタみたいな顔とコウモリのような翼、体はまるでサンショウウオで、ずぶぬれのネコみたいに怒《おこ》りっぽかった。その子は私の仕事仲間《なかま》のひとりを食っちまったせいで、手ばなさなくちゃいけなくなった。他人《ひと》といっしょに働くってのは、まあそういうもんなのさ。

SCHOOL

空を飛ぶのがどんなに気持ちいいか、私はすっかり忘《わす》れちまっていた。レスターに乗る最大《さいだい》の長所は、地上からみんなが見あげても、ふつうの鳥が飛んでるようにしか思われないところだ。まさか背中《せなか》に、こんないかれたばあさんが乗ってるだなんて思わない。また借金《しゃっきん》取りに追われても、こいつは便利だよ。

ともあれレスターは、着陸《ちゃくりく》が苦手だった。最初《さいしょ》のフライトじゃあ思いきり地面にぶつかったものだから、私は背中からふり落とされて、泥《どろ》だらけの地面をごろごろ転がるはめになってしまったんだ。まあ、あれはわざとだったんだろうね。ガチョウがあんなに大笑《おおわら》いするのなんて、ほかに聞いたことがないよ。

二度目の着陸は、もっとひどかった！　校舎《こうしゃ》の屋根に激突《げきとつ》して、三十人近い生徒《せいと》たちをおびえさせ、ふるえあがらせちまったんだ。もうめちゃくちゃだった。どこもかしこも、羽根とえんぴつまみれさ。おかげでまるまる一週間、子供《こども》たちの両親からそりゃあ口汚《くちぎたな》い内容の手紙が私のところに届《とど》きつづけた。将来《しょうらい》あの子たちに問題が起きたら、まちがいなくそのたびに私たちのせいにされるだろうね。

問題だらけのスタートになってしまったけれど、きっとレスターといっしょに乗りこえてみせる！

10GA

大切な日記帳へ

なんて一日だろう！　今年最大《さいだい》のニュースはハンプティ・ダンプティが死んじまったことだとばかり思っていたのに、甘《あま》かったなんて。妖精院《フェアリー・カウンシル》も私《わたし》も、どうも近ごろフェアリー・ゴッドマザーのようすがおかしいと思っていたんだけれど、その理由がついにわかったんだ。それがまた、最高《さいこう》に変《か》わっているのさ！

　すべてのはじまりは、フェアリー・ゴッドマザーがいきなり妖精《ようせい》の宮殿《きゅうでん》で開いた会議《かいぎ》だった。私はしぶしぶベッドから出ると、レスターも寝床《ねどこ》からひっぱり出して出発した。宮殿に到着《とうちゃく》した私たちは、着陸《ちゃくりく》用に妖精たちが庭園にしいてくれたマットレスの上に下り、大広間にいるほかの妖精たちのところに行った。

　そうしてフェアリー・ゴッドマザーがみんなを集めるの

は、いつもなにか、私たちがみんな聞いておくべきすばらしいできごとが起きたときだった。だから私は、出かけるのが面倒《めんどう》くさくてたまらなかった。

「さあ、今日はいったいどうしたんだい？」私は、みんなにたずねた。

「私たちも知らないのよ」エメラルダが首を横にふった。「フェアリー・ゴッドマザーの到着がまだなの」

まあ、そんなもんだろう。この一か月、フェアリー・ゴッドマザーはどの会議も遅《ち》刻《こく》か欠席《けっせき》ばかりだからだ。たまに顔を見せたかと思えば、バタバタとやってきて、急いで帰っていってしまう。さっき書いたとおり、みんなになにかおかしいとは思っていたのだけれど、なにがどうなっているか話を聞けるほど長く引きとめておくことは、だれにもできなかったんだ。

いきなりキラキラと輝《かがや》く風が大広間に舞《ま》いこんできたかと思うと、フェアリー・ゴッドマザーが姿《すがた》をあらわした。やってくるときはいつだって堂々《どうどう》としていて、そりゃあ立派《りっぱ》なもんだ。

「ごめんなさい、遅刻しちゃったわ！　長くお待たせしていたんじゃなきゃいいのだけど……」

フェアリー・ゴッドマザーは顔を赤くして、息を切らしていた。ティーンエイジャーのころ、ひと晩《ばん》じゅういっしょに踊《おど》りあかしたころと、まったく同じ顔をしていたよ。

「フェアリー・ゴッドマザー、だいじょうぶですか?」ザンザスがたずねた。「どうやら少々……取りみだしておいでのようだが」

「なるほど、取りみだしていい、い、い、いるとは、ちょうどぴったりのことばかもしれないわね」フェアリー・ゴッドマザーはうなずいた。「みんなに話さなくちゃいけないことがあるのよ。最初《さいしょ》はとても信《しん》じられないでしょうけれど、このごろ私のようすがおかしかった理由は、きっと納得《なっとく》できると思うわ」

「おっと、私にはわかるよ」私は、いじわるく笑《わら》ってみせた。「彼氏《かれし》ができたんだろう!?」

「はあ?」みんなは、まるで私がひどく失礼《しつれい》なことでも言ったかのように、いっせいに声をあげた。

「おいおい、なんだい!」私はみんなを見まわした。「フェアリー・ゴッドマザーは年を取っちゃいるが、死んじゃいないんだよ! 最近《さいきん》じゃあ、ばあさん好《ず》きの男だってけっこう多いんだ。だいたい、この人が亡《な》くなっただんなと出会ったのだって、まさにそれじゃないか」

「ええと……ちがうわ、マザー・グース。彼氏はできてない」フェアリー・ゴッドマザーが言った。

「いいんだよ、FG」私は、なんとか口を割《わ》らせてやろうとした。「ここにいるだれひとりとして、あんたを責《せ》めたりしやしないんだから！　だんなが死んで、もう何年もたつんだ……新たな一歩を踏《ふ》みだしたって、ぜんぜんいいんだよ。さあ、今度のお相手はだれなのか教えておくれ！　ホワイト国王かい？　あの靴《くつ》屋《や》かい？　それとも秘《ひ》密《みつ》の行商人かい？　ほら、だれも責めたりしないんだから！」

けれど顔を見れば、忙《いそが》しくしているのは彼氏のせいなんかじゃないんだというのは、火を見るよりも明らかだった。なにかまったく別《べつ》の、とても深《しん》刻《こく》な話があるんだ。

まったく残《ざん》念《ねん》ったらないね……きっと新しい彼氏と友だちになれると思っていたのに。

「異《い》世《せ》界《かい》を発見してしまったのよ」フェアリー・ゴッドマザーが、みんなの顔を見まわした。

大広間にいる全員が、ハッと息をのんだ。レスターが、長い鳴き声をあげた。私は思わず笑いだしてしまったけれど、フェアリー・ゴッドマザーが本気《マジ》なのに気づいてあわてて口をつぐんだ。

「異世界？」スカイレンが身を乗りだした。

「まさか、ご冗談《じょうだん》でしょう？」タンジェリーナがさけんだ。

「そんなことがありえるの？」ロゼットがつづく。

「私にもわからないんだけれど、だけど本当なのよ！」フェアリー・ゴッドマザーが答えた。

最初は、きっと妖精の粉《こな》でも吸《す》いこんだせいでおかしな話をしてるにちがいないと思った。異世界を発見するだなんて、あるわけないじゃないか！　けれど、遅刻や欠席はともあれ、おおげさなほら話など、あのフェアリー・ゴッドマザーがそんなことをするわけがない。

「どうやって発見したのですか？」エメラルダが質問《しつもん》した。

「ええと……あれはシンデレラの結婚式《けっこんしき》のすぐあとだったわ」フェアリー・ゴッドマザーが説明《せつめい》をはじめた。「あの子の人生が、ほんのささやかな魔法《まほう》でどれほど大きく変わったかを目《ま》の当《あ》たりにした私は、すっかり感動してしまって、人を助けたいと前よりも強く思うようになったのよ。そこで、魔法をいちばん必要《ひつよう》としているだれかのところに連《つ》れていってくれるよう、ちょっと魔法を使うことにしたの。そして、体のまわりでくるくると杖《つえ》をふって気づいてみると、この世界の人がだれも訪《おとず》れたことのないどこかにいたのよ」

「どこかって、どんなところなんですか?」ヴァイオレッタが言った。

「とてもおそろしいところよ」フェアリー・ゴッドマザーはため息をついた。「まるでドラゴン時代みたいに荒《あ》れ果《は》てていてね……ただ、そこで破壊《はかい》をくりひろげていたのは、人間だったのよ。その世界にはさまざまなちがった文化があり、さまざまなちがった民族《みんぞく》が住んでいて、みんなが世界を支配《しはい》しようとして争《あらそ》いあっていたの」

「こわくなかったのですか?」コーラルがたずねた。

「ふるえあがったわ」フェアリー・ゴッドマザーが答えた。「でも、がれきの中で見つけた小さな男の子は、私なんかとはくらべものにならないくらい、もっとおびえきってたの。ガタガタとふるえて、おなかもペコペコでね。野蛮人《やばんじん》たちに村を破壊されて、家族をみんな殺《ころ》されてしまったのよ。私はすこし食べものをあげて、安全なところに連れていってやったけれど、その子はぜんぜん元気を取りもどしてはくれなかった。ところが、シンデレラとラプンツェルの話をしてみると、ふっと明るい顔になったのよ」

あのまぬけなお姫《ひめ》さまたちの名前を聞いて、私は思わずため息をついた。

「なぜその話で元気が出たんだろう?」ザンザスが首をひねった。

「それは、異世界には……私が〈アザーワールド〉と呼《よ》ぶことにしたその世界には、魔法がないからよ」フェアリー・ゴッドマザーが答えた。「私たちの世界では魔法が人びとを助けて力を与《あた》えているんだと知って、かわいそうな男の子はほんのひととき、自分の身に起きた悲しいことをすべて忘《わす》れられたの。人生でいちばん苦しいときを送っているその子に、物語がほんの小さな安らぎをもたらしてくれたのよ」

「その子はもう元気を取りもどしたのですか?」コーラルがたずねた。

「ええ……でもそこからが、〈アザーワールド〉のいちばん不思議《ふしぎ》なところなのよ。私はこっちの世界に帰らなくちゃいけなかったから、男の子のお世話をしてくれるという老夫婦《ろうふうふ》を見つけてあげたの。そして、こっちでほんの一週間くらい過《す》ごしてからまた〈アザーワールド〉にようすを見に行ってみると、男の子はすっかり大人になっていたのよ! 奥《おく》さんがいて、自分の子供《こども》までいたんだから!」

「大人に？」タンジェリーナは目を丸くした。「異世界の人は、そんなに成長《せいちょう》するのが早いのですか？」

「〈アザーワールド〉は、こちらの世界よりずっと早く動いているの。私たちが一日を送るあいだに、あっちでは何か月も過ぎてしまうのよ。一年は、一世紀《せいき》にもなってしまう」

「すごい話だわ！」スカイレンがさけんだ。

「その子は、私の物語が命を救《すく》い、絶望《ぜつぼう》のあとに希望《きぼう》を与えてくれたんだって言ってくれたわ。そして、その物語に『フェアリー・テイル《お　と　ぎ　話》』という名前をつけて、自分の子供たちにも語り聞かせたの。それからというもの、私は時間を見つけては〈アザーワールド〉にもどって、めぐまれない子供たちのところに私たちの物語を広めに行っているのよ」

「最近ようすがおかしかったのは、そういうわけだったのですね」エメラルダがうなずいた。

「いろいろおろそかにしていて、ごめんなさいね」フェアリー・ゴッドマザーはしゅんとした。「〈アザーワールド〉を訪れるたび、前よりもひどいことになっているものだから……。なにか信じるものを必要とする子供たちは、どんどん増《ふ》えつづけているのよ。だから今日思いきって、みんなに集まってもらうことにしたの。物語が子供たちにどれほど元気を与えるかはこの目で見てきたけれど、ひとりきりではつづけることができないのよ。でも、もっと大勢《おおぜい》で行けば、子供たちに物語を聞かせるチャンスだってぐんと増えるはずだと思うの。だからみんなにも私といっしょに、この世界の物語を〈アザーワールド〉に広めてほしいのよ」

大広間のみんなは、まるで金を貸《か》している友だちからもっと貸せと言われたかのように、ぴたりと静《しず》まりかえった。空気がピリピリと張《は》りつめる。私はボンネットの中にかくしておいた水筒《すいとう》から、ブクブクちゃんをぐびりとひと口飲んだ。あっけにとられるあまり、コソコソするのも忘れていた。

「私たちにも、その異世界とやらを見せてください。どうやって行けばいいんですか?」ザンザスがたずねた。

「ふたつの世界を行き来するには、特別《とくべつ》な魔法が必要よ。きっと使えるのは、私ひとりだけでしょうね」フェアリー・ゴッドマザーが言った。「だけどいろいろ工夫《くふう》して、その魔法を扉《とびら》にこめるのに成功《せいこう》したのよ。さあ、ついてきて。扉のあるところに案内《あんない》してあげる」

　フェアリー・ゴッドマザーは私たちを引き連れて、妖精の宮殿の南塔《みなみとう》に向かった。塔には、丸い部屋があった。まんなかにアーチ型《がた》の扉があるほかは、まったくなにもない。フェアリー・ゴッドマザーが壁《かべ》についたレバーを引くと、そのアーチに青いカーテンがかかった。カーテンの向こうの部屋は、なんだかやたらと明るいみたいだ。

「もし手伝《てつだ》ってもらえるのなら、こういう扉をもっと作ろうと思っているの。カーテンをくぐれば、すぐに〈アザーワールド〉よ……。でも気をつけて、もしかしたらショックを受けてしまうかもしれないから」

　最初にフェアリー・ゴッドマザーがカーテンをくぐり、私たちがそれにつづいた。レスターには、そこで待っているように言った。びっくりすると、やたらとおならばかりするからだ。


カーテンの向こうを部屋だと思ったのは、私のまちがいだった。部屋なんかじゃな

くて、光の世界だったんだ！　一瞬《いっしゅん》、妖精の粉を吸いこんじまったのかと思った！

私たちはみんな、無限《むげん》につづく果《は》てしない空間を、どんどん落ちているみたいだった。ほかの妖精たちは、私のまわりをぐるぐるとまわりながら落ちていた。見わたすかぎり終点なんてありそうになかったけれど、九人ともいきなり、草におおわれてじめじめした地面に落ちた。

私は立ち上がり、自分の目で〈アザーワールド〉を見まわした。そこは、フェアリー・ゴッドマザーの話よりもずっとひどいありさまだった。

「こりゃあ最悪《さいあく》だね！」思わず、そうさけんでいた。

意識《いしき》を失《うしな》った何百人という男たちがあたりに転がっているのを見た私は、前の夜にものすごいパーティーがあったのかと思った。妖精たちは悲鳴をあげた。男たちに目をこらした私は、眠《ねむ》っているんじゃなくて、死んでいるんだと気がついた！　パーティーなんかじゃなく、ものすごい戦《たたか》いがあったのだ。あたりにただようにおいからすると、どうやらだいぶ時間がたっているようだった。

「なんてひどいところなの……」タンジェリーナがつぶやいた。

「こんなに悲しい光景《こうけい》、見たこともないわ」ヴァイオレッタは涙声《なみだごえ》になっている。

「もっとひどい場所もあるのよ」フェアリー・ゴッドマザーが言った。「戦争《せんそう》の中で、女の人や子供たちも殺されているのよ。この世界には、慈悲《じひ》というものがあんまりないんだわ」

遠くのほうに、ちらほらと動く人影《ひとかげ》が見えた。よろいや武器《ぶき》、そして使えそうなものがあればなんでも手当たりしだいに、死体からはぎ取っていたんだ。妖精たちの目から、涙《なみだ》がこぼれ落ちた。私も涙もろかったなら、きっとボロボロ泣《な》いてしまってたはずさ。

フェアリー・ゴッドマザーに案内されて、そこからいちばん近くの村に行くと、私たちの気持ちはさらにずっしりと落ちこんだ。どこを見まわしても、貧《まず》しい人びとばかりだ。帰る家もなく、母親たちは道端《みちばた》にすわりこんで、泣きやまない赤んぼうをあやしつづけていた。子供たちはだれかを見つけると、パッと駆《か》けよって食べものやお金をくれとせがんでいた。私たちは、持ってるものを片《かた》っぱしからやってしまった。けれど私のボンネットはだれもほしがらなくて、これにはちょっとだけイラッときたね。どうやら物ごいも、えりごのみするらしい。

「この世界で人びとを助けたいと思っている理由、わかってもらえた?」フェアリー・ゴッドマザーがみんなの顔を見まわした。「私たちは〈ランド・オブ・ストーリーズ〉を安全で平和な世界にしたわ。きっと次はこの世界にも同じことをするよう、魔法が私たちをここに導《みちび》いたのよ。いっしょに、ここの人たちを助けてくれない？」

妖精たちは、決心したような顔で視線《しせん》をかわし合った。

「やります」エメラルダがうなずいた。

「私もです」ザンザスがつづいた。

「やるしかない」スカイレンとタンジェリーナが声をそろえて言った。

「安心して頼《たよ》ってください」ヴァイオレッタが答え、コーラルがうなずいた。

「フェアリー・ゴッドマザーのためなら、よろこんで」ロゼットも答えた。

まだ口を開かない私に、全員の視線が集まった。私はおそろしくて、ためらっていた。自分たちの住む世界でも、たいした人助けなんてできなかったんだ。こんな場所に来て、いったいなにができるっていうんだい？

「マザー・グース、あなたはどうする？」フェアリー・ゴッドマザーが言った。

「わかった、私もやるよ」私はうなずいた。「私のせいでもっとひどいことにならなきゃいいんだけど」

ひとつ、学んだことがある。それは「うかつな願《ねが》いごとはやっかいのもと」ってことさ。前からときどき逃《に》げ場所《ばしょ》がほしいと願っちゃいたけれど、まさかこんな〈アザーワールド〉みたいなところに出くわしちまうとはね。さあ、これからどうなってしまうことやら！

1349年 ロンドン
（アザーワールド）

大切な日記帳へ

今日は初《はじ》めてひとりで〈アザーワールド〉に行ったんだけれど、不安《ふあん》でたまらなかったよ。何か月ものあいだ、妖精院《フェアリー・カウンシル》の連中《れんちゅう》は自分たちが助けてあげた子供《こども》たちの話をあれやこれやとしていたのだけれど、おかげで私《わたし》はひどくビクビクしっぱなしだった。みんなの話はとにかく感動的《かんどうてき》であたたかく、私にはとても同じようなことなんてできないと思ったのさ。

だいたい第一に、妖精院のみんなは、もう見るからに妖《よう》精《せい》だ。悪趣味《あくしゅみ》なパレードかなにかに出るみたいに、いつだってあざやかでギラギラした、カラフルな服を着ている。ずっと見てたら頭が痛《いた》くなっちまいそうなもんなのに、子供たちは、ああいうあざとい服が大好《だいす》きなのさ。

それからもうひとつ。私はむかしっから、どうも子供が苦手なんだ。子供は、私のジョークになんてまったく笑《わら》っちゃくれない。私の話しかたが変《へん》だとか、変なにおいがするだとか言うんだけど、チョコレートまみれの舌《した》ったらずな子供にそんなことを言われると、これがグサッとくるんだ。赤ちゃんといると、きまっておしっこされたり、ゲロをかけられたりする。だっこしてないときにまでね！　まるできたないものが詰《つ》まったゴミ箱にでもなった気分になるのさ。

だからいうまでもなく、私はひどくビクビクしていた。手伝《てつだ》うなんて言ってしまったのを、心の底《そこ》から後悔《こうかい》していたんだ。

扉《とびら》をくぐった私は、イングランドという名前の国にある、ロンドンって町に出た。妖精たちがやたらとほめちぎっているのを聞いたことがあったけれど、これがまあ、最悪《さいあく》なところだった！　すくなくとも、パッと見たかぎりはね。

町は霧《きり》につつまれたバカでかい迷路《めいろ》みたいで、どこもかしこもネズミだらけ！　道にはたくさんの人びとが横たわって、ひどい咳《せき》をしたり、聞くにたえないうめき声をもらしたりしていた……まるで、ブクブクちゃんをしこたま飲んだ翌朝《よくあさ》の私みたいにね。でもその人たちは、飲みすぎてごろごろしているのとはちがった。病気だったのさ……それも、見たこともないほどひどい病気だよ！

肌《はだ》は青白く、目の下には黒々としたくまができていた。体はすっかりやせこけ、首《くび》も手足にも、血管《けっかん》が浮《う》きだしてしまっていた。指やつま先は黒くなり、まるで生きたままくさりはじめてしまったようだった。

おっと、生きたままとは言いきらないでおくよ。というのは、もう死んでしまったように見えた人たちも、たくさんいたからだ。角を曲がったところで、町なかに積《つ》みあげられた大きな死体の山を見つけたときは、思わず悲鳴をあげてしまったよ。いちばん元気そうにしているのは、鳥みたいなマスクをつけた男だった。男は死体をいくつも乗せた荷車を引いていき、それを死体の山に捨《す》てていた。

「ちょっと失礼《しつれい》するよ」私は男に声をかけた。「この町には来たばかりなんだけど、いったいなにが起きてるんだい？」

「おいおい、マスクもせずに道を歩いたりしてはダメだよ！　黒死病《こくしびょう》がうつってしまうぞ！」

「黒死病？　いったいどんな病気だい？」

「おそろしい疫病《えきびょう》さ」男は首を横にふった。「おかげでこの国じゃ、半分以上《いじょう》も人が死んでしまったよ……ヨーロッパ全土ともなれば、もっとさ」

「疫病だって？」私は目を丸くした。

そりゃあ驚《おどろ》くとも！　なにせ〈アザーワールド〉への初めてのひとり旅で、死にいたる疫病の大流行にぶちあたっちまったんだから……やれやれ、まったく運のいい話さ。こんな状況《じょうきょう》で、いったいどう人助けができるっていうんだい？　私は、さっきまでの不安なんて屁《へ》でもないほどひどく不安になってきた。お酒を飲まないと、もうやってられない。

「近くに酒場《タバーン》はあるかい？」

「タバーンというのは？」

「ほら、アルコール飲料《いんりょう》を客に出す店のことだよ」私は説明《せつめい》したけど、男はまださっぱりわからないようすだった。

「アルコール？」

「ああ、そうとも。もともとは医療《いりょう》用に作られた殺菌《さっきん》作用を持つ液体《えきたい》だけれど、のちのちいろんなフレーバーに作《つく》り変《か》えられて、数えきれないほどの人びとをとりこにしたのさ」

それでも、男はまだわけがわからない顔をしていた。

「タバーンということばは聞いたことがないが、でも楽しそうなところじゃないか」

「まあいいさ」私はため息をついた。「このあたりにだれか、子供はいないかね？」

男は、曲がりくねった通りの先を指さした。「この道の先に、孤児《こじ》の世話をしている教会があるよ。でも俺《おれ》があんたなら絶対《ぜったい》に行きたくないね。どの子供も、みんな疫病にかかっているんだから」

「ふふん、私の体を流れる血を毒《どく》するんだったら、疫病なんかじゃとても無理《むり》さ。道を教えてくれて、ありがとう」

道を進んでいった私は、小さな棺《ひつぎ》がいくつか外に積まれた建物《たてもの》の前で足を止めた。ここにちがいない。不気味《ぶきみ》な光景《こうけい》に、心臓《しんぞう》がドキドキしはじめた。運よく帽子《ぼうし》の中に予備《よび》の水筒《すいとう》が入っていたから、中身をひと口飲んだ。

ドアを叩《たた》くと、マスクをした修道女《しゅうどうじょ》が出てきた。目もとしか見えないけれど、外の人たちと同じくひどいくまができていた。でもそれは病気じゃなく、疲《つか》れのせいできたくまだった。

「なにかご用でしょうか？」修道女が言った。

「ちょっと力になれるんじゃないかと思ってね」私は答えた。「すぐ近所に住んでるのだけれど、子供たちを世話するのに、ひょっとして人手がいるんじゃないか？」

「ああ、神さま」修道女は、私にキスするんじゃないかと思うほど、うれしそうな顔をした。「二日間まったく眠《ねむ》らず、子供たちのお世話をしているんです。さあ、どうぞお入りになって」

修道女は私を招《まね》きいれると、奥《おく》の部屋に案内《あんない》してくれた。そこには十二台のベッドがならべられていたけれど、寝《ね》ている子供は三人だけだった。男の子がふたりと女の子がひとりだ。三人ともひどい咳をして、外の人たちのように青白く、ガリガリにやせこけてしまっていた。片方《かたほう》の男の子はあまりに具合が悪くて、目もあけていられないほどだった。

「この子たちの親は、疫病で亡《な》くなってしまいました」修道女が言った。「子供たちも一週間前からすこしずつ減《へ》りはじめ、今はもうこの三人だけになってしまったんです……」

「ちょっと休んだらどうだい？　子供たちなら、私が見ているからさ」

「ありがとう」修道女は頭をさげ、となりの部屋に消えていった。きっとくたくただったんだろう、私がだれなのかも、子供の面倒《めんどう》がちゃんと見られるのかも、たずねようとすらしなかった。ともあれ孤児たちのほうは、ずけずけと私に質問《しつもん》をあびせてきた。

「おばちゃんだれ?」目がさめてるほうの男の子が、ゼエゼエと息を切らしながら言った。

「私が来たとこじゃあ、マザー・グースって呼《よ》ばれてるよ」

「子供はいるの?」

「いいや」私は首を横にふった。「でも、子供みたいに言うことを聞かないガチョウがいるよ……おっと、今のはあいつに言わないでおくれよ。そりゃあおこりっぽいガチョウなんだからさ」

「ガチョウはおこったりしないわ」小さな女の子が言った。

「レスターに会ったことないだろう?」私は、女の子の顔を見た。

「名前があるんだ?」男の子が言った。

「もちろんあるとも。まあ、もっと立派《りっぱ》な名前に変えたいって毎日言われるけどね」

「ことばがしゃべれるの?」女の子が目を丸くした。

「黙《だま》らせるのはひと苦労《くろう》さ」私は答えた。

「でも、動物はしゃべれないんだぞ」男の子が言った。

「私の世界じゃあ、しゃべれる動物がごろごろいるよ。服を着て、仕事をして、ちゃんとした社会の一員として暮《く》らしてるんだ。この世界にはないものが、私たちの世界にはたくさんあるのさ。だって、魔《ま》法《ほう》であふれているんだからね」

「魔法?」女の子は、おびえるような顔で言った。「おばさん、悪魔《あくま》の手下なの?」

「悪魔ってのがだれのことかにもよるね」私は答えた。「まあ、なにも心配することはないよ。私はフェアリー・ゴッドマザーのために仕事をしてるんだ。おまえたちを助けるよう私をここによこした、そりゃあすばらしい人だよ」

子供たちは咳をしながら、悲しげに顔を見あわせた。

「助けられっこないよ」男の子が言った。「だれにもできやしないさ。もうすぐ神さまが、パパとママのところに連《つ》れていってくださるんだ」

私には、かけることばなんて見つからなかった。だれだってそうなるに決まってる。

「病気を治《なお》してやることはできないけれど、心にやすらぎを与《あた》えることはできるはずだよ。さあ、物語が聞きたくはないかい?」

子供たちは、じっと私を見つめていた。いやだとは言わなかったので、はじめていいんだと思った。ただ、どの物語を聞かせてやればいいのか、まったくわからなかった。どんな話をすれば、この子たちの気持ちを楽にしてやれるんだろう？　私は不安になりながら水筒の中身をひと口飲むと、最初《さいしょ》に思いうかんだ物語をはじめた。


ハンプティ・ダンプティ、壁《かべ》にすわってた。

ハンプティ・ダンプティ、転がりおちた。

王さまの馬と家来《けらい》は、みんなで大修理《だいしゅうり》。

けれどハンプティをもとにもどすのは無理。


語り終えて、私はしゃっくりをした。

「どうして韻《いん》を踏《ふ》んでる〔同じ音や母音《ぼいん》を持つことばをくり返すことで、読むときにリズムが生まれる〕の？」女の子が首をかしげた。

「あらやだ、踏んでたかい？」私は聞きかえした。自分でもまったく気づかなかったんだ。「許《ゆる》しておくれ。どうも飲みすぎると韻を踏んじまうクセがあるんだよ。父親から受けついだんだ。いまいましい習慣《しゅうかん》ってとこさ……うちは代々そうなんだ」

「おもしろいよ」男の子がにっこり笑った。たぶん、ずいぶん久《ひさ》しぶりの笑顔《えがお》だったろう。「パパとママが死んじゃう前、韻を教わったんだ」

ふたりともどうやら、いい子のようだった。まさかこの私に、ふたりにやすらぎを与えるような話ができるなんて驚きさ。

「そうだ、むかしは私も孤児だったことがあるんだよ」私は打ちあけた。「うちは父親が黒魔術師《くろまじゅつし》で、母親が妖精でね。まだずいぶんと若《わか》いころに私が生まれたんだ……たぶん、ふたりともまだ子供を持つ準備《じゅんび》なんてできていないころにね。だから私を妖精の宮殿《きゅうでん》の玄関《げんかん》に置《お》きざりにして、ミュージシャンになる夢《ゆめ》を追《お》い求《もと》めようと逃《に》げてっちまったのさ。まあ、その夢も、ふたりそろって巨人《きょじん》に踏みつぶされたせいで終わってしまったんだけどね」

「ひどい話だわ」女の子がしゅんとした。

「まあ、最悪ってほどでもないさ」私は笑ってみせた。「そこで妖精たちに育ててもらったんだけれど、私はちょっとした問題児《もんだいじ》だった。だからひとりで暮らしていけるようになるまで、次から次へと里親のもとをたらいまわしにされちまうはめになったんだよ。私はいつだって魔法を使っていたずらしたり、競馬《けいば》でイカサマしたりしてたからね」

こんな話を人にするのは初めてだったけれど、どうやら話す相手をまちがってはいなかったようだ。ふたりとも、にこにこしながら聞いてくれたんだ。

「お父さんとお母さん、かわいそうにね」男の子が言った。

「ああ、まったくだよ」私は答えた。「まあ、雲の上にいりゃあ、もう巨人に踏みつぶされる心配もないってものさ」

さあ、もうわかるだろう？　ふたりとも、これを聞いて大笑《おおわら》いさ！　あんなに心あたたまる声なんて、聞いたことがなかったとも。私は、自分にも心があったんだと思いだした。しかも胸《むね》を満《み》たすぬくもりからすると、どうやらとびきり大きな心があるにちがいない。

「マザー・グース？」

ふと聞こえた声にふり向くと、もうひとりの男の子が目をさまし、ベッドで体を起こしていた。まるで、ふたりの笑い声を聞いて生きかえったみたいだった。

「ほかのお話も聞かせてくれる？　韻を踏んでるのを聞くと、なんだか楽しくなっちゃうんだよ」

これを聞いた私は、自分の涙腺《るいせん》がこわれてなんていなかったのに気がついた。そこでまた水筒からぐびりと飲むと、次の物語をはじめた。

リトル・ボー・ピープ、羊《シープ》に逃げられた。
どこを探《さが》せば見つかるの？
ほうっておきましょ、帰ってくるでしょ。
お尻《しり》にしっぽをぶらさげて。

「病気がはやる前、うちにも農場があったのよ」女の子が言った。「ほかのお話も聞きたいな」

小さなマフェットお嬢《じょう》さんお山にすわり、
チーズをかじってミルクをごくり。
一匹《ぴき》クモがやってきて、ぴったりとなりに腰《こし》かけた。
マフェットお嬢さん、びっくり仰天《ぎょうてん》いちもくさん。

「クモだって！」男の子たちはどっと大笑いした。「お願《ねが》い、やめないで！」

ジャックとジル、丘《おか》をのぼって水くみに。
ジャックが転んで頭をごつん、
ジルもつづけてすってんころりん。

私はそうして夜になっても、〈ランド・オブ・ストーリーズ〉に住む笑える人たちの話を、韻を踏みながらしつづけてやった。酔《よ》いはすっかりさめちまったけれど、子供たちをよろこばそうと、だらしなく酔っぱらってるふりをしつづけた。子供たちはお気に入りの物語を何度も私にやらせると、しまいにはいっしょになって暗唱《あんしょう》しはじめた。子供たちが思い思いのメロディーを詩につけ、私たちはみんなで次から次へとうたいまくった。そしてやがて、みんなすっかり眠くなってきた。
「マザー・グース、朝になってもいてくれる？」女の子が言った。
「まかしときな。さあ、子供はもう寝る時間だよ。朝になったら、またみんなでうたうとしようじゃないか」

私は朝日が顔を出すまで三人のそばにすわっていたけれど、子供たちは二度と目をさまさなかった。男の子が言ったとおり、神さまが両親のところに連れていったのさ。やがて眠りからさめた修道女がやってくると、子供たちのために祈《いの》りをささげ、三人にベッドのシーツをかけてやった。

私はすっかり悲しみに沈《しず》んでいた。でもあの子たちの最後《さいご》にほんのすこしでも幸せをあげられたんだと思うと、今まで感じたことがないような最高《さいこう》の気持ちになった。あれはたぶん、私にとっていちばん立派なおこないだったと思う。そして初めて、なぜフェアリー・ゴッドマザーがあんなにも人助けに夢中《むちゅう》になっているのかはっきりとわかったのさ。たとえほんの一瞬《いっしゅん》だろうとも、人びとの目に光をもどし、苦痛《くつう》を忘《わす》れる手助けをできるのなら、そんなにすばらしいことはないんだよ。それこそ、最高の魔法ってやつなのさ。

だれかの人生を変えようとして〈アザーワールド〉に行ったというのに、いちばん大きく変わったのは、私の心だった。前の私は自分がとことん信《しん》じられなかったけれど、あんな悲惨《ひさん》な時代に孤児たちを笑顔にできたという事実が、そのものすごい変化《へんか》を起こしてくれたんだ。もしかしたらこの老《お》いぼれも、〈アザーワールド〉の助けになれるかもしれないってね……。

1428年 フランス

大切な日記帳へ

今日は、フランスのあちこちに物語と歌を広めるため、またヨーロッパにもどってきた。

それにしても、このイングランドとフランスの戦争《せんそう》［フランスの王位《おうい》の継承《けいしょう》と領土《りょうど》をめぐり、一三三七年から一四五三年までつづいた百年戦争のこと］はどれだけひどいんだろうね！　何回もどってきても、終わる気配すりゃまったくありゃしない。もうかれこれ、たっぷり百年はつづいているよ。

どの通りを歩いても大混乱《だいこんらん》で、自分の心の声すら聞こえないほどだ。どこか静《しず》かな場所でひと休みしたかったけれど、どこを見まわしても兵士《へいし》たちがせわしなく駆《か》けまわっていて、そんな場所なんて見つけられるはずもない。そうして歩いているうちに町外れで教会の前を通りかかり、しょうがないからそこで休んでやろうと決めたわけさ。

思ったとおり、教会の中はまるで天国みたいだった。とても静かで、羽根が落ちる音でも聞こえそうなほどだったんだ！　人っこひとり見あたらなかった。ひと目でカトリックの聖者《せいじゃ》たちのものとわかる、絵画や彫刻《ちょうこく》がならんでいるだけだった。私《わたし》は手近な信者席《しんじゃせき》にごろりと寝転《ねころ》がると、短い昼寝《ひるね》をはじめた。

超満員《ちょうまんいん》の闘技場《とうぎじょう》で鬼《オーガ》が泥《どろ》レスリングをしている、最高《さいこう》に楽しい夢《ゆめ》を見ていた私は、なにかの気配に目をさました。見てみると、教会のまんなかにティーンエイジャーの娘《むすめ》がひざまずき、うるさいことに祈《いの》りをとなえていた。私はドイツ語ほどフランス語が得意《とくい》じゃないけれど、それでも娘がなんと言っているのかはわかった。

「お願《ねが》いです、神さま。子供《こども》のころみたいに、私にお姿《すがた》をお見せください。そして、どうすればイングランドからフランスを自由にし、シャルル七世［フランスの国王。ジャンヌ・ダルクの働《はたら》きでイングランド軍《ぐん》の包囲《ほうい》から解放《かいほう》され、百年戦争を終結《しゅうけつ》］を玉座《ぎょくざ》につかせることができるのかを、どうかお教えください」

ティーンエイジャーってのは、黙《だま》って考えごとができないものなのかね？　だれかに聞いてもらわずに、自分の気持ちを抱《かか》えていられないのかね？　私が十代だったころは、そりゃあ静かなものだった。たしかに、証人保護《しょうにんほご》プログラムで人里から引きは

なされていたせいもあるけれど、それはまた別《べつ》の話さ。

しかしその娘も、祈るんだったら新しい服やちゃんとしたせっけんがほしいとでもお祈りするべきだよ。すっかりうす汚《よご》れて、男の子の服を着て、髪《かみ》の毛《け》はネズミの巣《す》よりもグシャグシャだ。おてんば娘なんてことばじゃなまぬるいほどさ。そんなブタ飼《か》いみたいな姿じゃあ、シャルルの気をひくなんて無理《むり》っていうものだよ。

しばらく見ていた私は、きっとどこの酒場でもうわさになっている、そのあたりの変人娘《へんじんむすめ》にちがいないと気がついた。そう、今はどこにでも酒場があるんだよ！ヨーロッパは最高だ！

なんでもこの娘は、やたらと押《お》しつけがましくってえらそうで、町の連中《れんちゅう》をひとり残《のこ》らずイライラさせているらしい。私の住んでたところじゃあ、ティーンエイジャーなんて決まってそんなものだったけれど、どうしてここの連中は、この娘だけそんなに特別扱《とくべつあつか》いするんだろう？　だれを話題にしてだれを話題にしないのか、この世界の連中は、なにを考えているのかさっぱりわからない。

娘の名前は、ジャンヌなんとかだった……ジャンヌ・ミルクだったか……いや、ダルクだったかもしれない［ジャンヌ・ダルクのこと。神さまの啓示《けいじ》にしたがい百年戦争でフランスを勝利に導《みちび》いた女性戦士《じょせいせんし》」。まあだれかはさておき、この娘はとことん私をイラつかせた。昼寝の邪魔《じゃま》をされないよう、さっさと追いだしちまわないといけない。

「お願いします、父なる神よ」ジャンヌは祈りつづけた。「私はあなたのしもべです。あなたの思いのままに、どうかこの私に導きをお授《さず》けください」

「ジャンヌよ……ジャンヌよ！」私は、いかめしい声色《こわいろ》で呼《よ》びかけた。

ジャンヌが興奮《こうふん》してさっと立ち上がり、教会の中を見まわした。「神よ、あなたなのですか？」と、身を乗りだす。

「ちがうよ」私は答えた。神の家の中で神のふりをするというのは、さすがに失礼《しつれい》すぎるからね。

「では、聖《せい》マーガレットさまでしょうか？　私に導きをお授けになるため、来てくださったのですか？」

「そうとも！　私は聖マーガレットだとも！」私は言った。

「ああ、聖マーガレットさま！」ジャンヌはため息をついて、両手で胸《むね》をおさえた。「あなただったのですね！　あなたの願いをかなえることは、私の使命です！」

「ありがとう、わが子よ。いつでも頼《たよ》りにしているよ。汝《なんじ》はこの村じゃあ、私のいち

ばんのお気に入りなのだよ。さあ、軍を作ってフランスを守りなさい、ジャンヌ！」

「承知《しょうち》しました、聖マーガレットさま！」

「イングランド人の手から、フランスを自由にするのだ！」

「おおせのままに、聖マーガレットさま！」

「神は、シャルル七世を玉座につかせたいとお思いなのだよ！」

「きっとそのとおりにいたします、聖マーガレットさま！」

「だけどジャンヌ、その前に……」

「なんなりとおっしゃってください、聖マーガレットさま。どうぞ、なんなりと！」

「今すぐこの教会を立ちさり、だれも入ることができぬよう、しっかりとドアを閉《し》めなさい！」

「なんでもお望《のぞ》みのままに、聖マーガレットさま」ジャンヌは、まるで燃《も》えさかる納《な》屋《や》から逃《に》げだす馬みたいに、ドアをめがけて駆けだした。

私はたっぷり大笑《おおわら》いをしてから、もうひと眠《ねむ》りした。かわいそうなジャンヌ。だましたのが、なんだか悪くなっちまった。あの子よりも強い戦士なんて、たくさんいるのに。だけどまあ、きっとだいじょうぶだろう……ティーンエイジャーってのは決まって、大人の手にはおえないものなんだから。

1503年 イタリア

大切な日記帳へ

まさか自分がこんなことばを口にする日がくるなんて思ってもいなかったけれど、私《わたし》は今、恋《こい》してる！

相手の名前はレオナルド・ダ・ヴィンチ［一四五二〜一五一九年。イタリアのルネッサンス期の芸術家《げいじゅつか》。代表作は『モナ・リザ』や『最後《さいご》の晩餐《ばんさん》』など。自然《しぜん》科学などにも広く才能《さいのう》を発揮《はっき》した］っていうんだけど、私は略《りゃく》してレオって呼《よ》んでる。レオは画家で、彫刻家《ちょうこくか》で、音楽家で、数学者で、建築家《けんちくか》で、エンジニアで、発明家で、そのうえ作家でもあるんだ！人はみんなレオのことを、ルネッサンス・マンって呼んでるよ。ルネッサンス［フランス語で再生《さいせい》や復活《ふっかつ》を意味し、イタリアではじまった文化復興《ふっこう》運動。十四世紀《せいき》〜十六世紀にかけて西欧《せいおう》各国《かっこく》に広まる］的《てき》教養《きょうよう》人《じん》って意味さ。

私はヨーロッパでいろんなトレンドを作ってきたけれど、

いちばん誇《ほこ》らしいのは、なんといってもルネッサンスだね。ルネッサンスがなけりゃ、レオみたいな人が才能を世に見せつけるチャンスなんて絶対《ぜったい》に訪《おとず》れなかったんだから。レオだってきっと、ほかの天才たちと同じように、火あぶりにされちまっていただろうさ。

もう中世の狂《くる》ったようなごたごたには、どれもこれもうんざりだった。なにを略奪《りゃくだつ》しただの、だれを拷問《ごうもん》しただの、そんな話ばっかりさ。すっかりあきあきしちまった私は、しびれをきらしてこう言ったんだ。

「さあみんな、このあたりでなにかおもしろいことでもはじめようじゃないか。新しい哲学《てつがく》を作るってのはどうだい！　ちゃんとした料理《りょうり》を作る！　窓《まど》にはカーテンをかける！　人生をちょっとだけ楽しむ方法《ほうほう》を学ぶのさ！」

どうやら人びとは、私の提案《ていあん》が心の底《そこ》から気に入ったようだ。私が次に〈アザーワールド〉にもどってきたときには、ルネッサンスはまさに花ざかりって感じだったんだ。毎日みんなきれいな建物《たてもの》を建《た》て、みごとな音楽や芸術品《げいじゅつひん》を作り、科学や医学はどんどん発展《はってん》をつづけていた。もちろん、この新時代へと世界を導《みちび》いていたのは、私のレオその人だったというわけさ。

私たちの出会いは、とある酒場だった。レオが私に一杯《いっぱい》おごって、こう言ったんだ。

「あなたのような美しいご婦人《ふじん》を描《えが》かせていただけるなら、この左腕《ひだりうで》をさしあげてもいい！」

レオはあまりにもチャーミングで、私はすっかりメロメロになっちまった。「腕《うで》はいいから、ディナーをごちそうしておくれ」

いっしょにフィレンツェでレオがいちばんお気に入りの店に行くと、私たちはあっという間に仲《なか》よくなった。私もレオも、あれこれやたらと似《に》たようなことに興味《きょうみ》を持っていた。まあ、これは無理《むり》もない話さ。なにせレオは、なんにでも興味を持っていたんだから。それに私たちには共通点《きょうつうてん》もたくさんあった。レオも大変《たいへん》な少年時代を送っていたし、世界の先を行くのがどんな気持ちなのかもわかっていた。私のおとぎ話を聞いたレオはすっかり感動すると、私や妖精《ようせい》たちの仕事をとても気高いものだと言ってくれた。

レオは百五十歳以上《さいいじょう》も年下だったから、私はちょっとだけ不安《ふあん》だった。でも私たちの心はひとつだったし、そんな年の差《さ》なんてどうでもよかった。

二回目のデートでレオは私を家に招待《しょうたい》し、肖像画《しょうぞうが》を描いてくれた。私を笑《わら》わせようとするものだから、じっとして動かずにいるのはひと苦労《くろう》だった。描きおえたレオは、きっといつの日か自分の代表作として知れわたるだろうと言った。

「モナ・グースという名前にしよう」レオが言った。

「そんな名前、よしておくれよ。武将《ぶしょう》たちが追ってきたときに、あんたを巻《ま》きこみたくないんだ……長くなるから説明《せつめい》ははぶくけどね」

「じゃあ、モナ・リザならどうだい？」レオがたずねた。

「いいじゃないか！」私は笑ってみせた。女の気持ちをそんなにも細やかにくんでくれるなんて、本物の紳士《しんし》ってものさ。

次に〈アザーワールド〉を訪れたとき、私はレオに紹介《しょうかい》するためレスターもいっしょに連《つ》れていった。レスターは私ほどレオになつきはしなかったけれど、まあガチョウっていうのはすごくなわばり意識《いしき》が強い鳥だからね。レスターはきっと、私が自分じゃないだれかを大事に思うのに、ちょっとやきもちをやいたんだろうさ。

レオは、私とレスターといっしょに飛《と》ぶのが大好《だいす》きだった。あまりに大好きなものだから、レスターが私たちふたりを乗せなくてもすむよう、空飛ぶ機械《きかい》を作ろうとスケッチをはじめたほどだ。大よろこびするレスターを見て、レオがついにレスターを手なずけたと思ったもんさ。

　私は何年もずっと、めでたいめでたいなんて口にする連中《れんちゅう》をバカにしてきたけれど、あれは自分がそんな気分になったことが一度もなかったからだ。今は、なんでみんながあんなににこにこしていたのかがわかる。レオといると私は自分の欠点《けってん》も忘《わす》れ、安心できるし、無敵《むてき》の気分になれる。その気になれば世界だって手に入れられそうな気分になれる！　武将たちとのギャンブルだって、やめたほうがいいのかもしれないね。

　レオはいつの日か、レスターのファーザー・グースになるかもしれない人なんだ。

1519年 イタリア

大切な日記帳へ

うそをつきたくはないから正直に言うけれど、今日は悲しい一日だった。トロルとゴブリンに、〈ランド・オブ・ストーリーズ〉にある連中《れんちゅう》のなわばりから出ることを禁止《きんし》しているせいで、妖精《ようせい》たちも私《わたし》もずっと、いつもみたいに〈アザーワールド〉に出かけることができなかったんだ。そしてやっともどってみれば、レオは死んでしまっていた。

私はなんてまぬけだったんだろう。ふたつの世界の時の流れは、いつだって気にしていたのに……たぶん、うっかり忘《わす》れてしまったんだろう。けれど、だれかに愛《あい》されるってのは、そういうものなんだ。愛されると、人はうっかりするし、忘れっぽくなっちまう。大切な人たちはいつまでもそばにいてくれるんだと思い、それをあたりまえのよう

に感じてしまう。

友だちがいなくなってしまうのには、慣《な》れっこさ。私くらい長生きしてりゃ、だれだってそうなるとも。けれどレオをうしなった胸《むね》の痛《いた》みは、それまでに感じたことのあるどんな痛みよりも強烈《きょうれつ》だった。あのルネッサンス・マンみたいな人、私はきっともう二度と、出会えっこないだろう……。

1532年　ロンドン

大切な日記帳へ

さてさて、出会いがあったよ！　頭がよくて、背《せ》が高くて、おいしいものに目がなくて、一騎《いっき》打《う》ちの槍試《やりじ》合《あい》が大好《だいす》きで、そのうえ名家の出身ときてる。わかったよ、言うとも……それはイングランド王、ヘンリー八世〔一五〇九～一五四七年在位《ざいい》。カトリックでは離婚《りこん》は許《ゆる》されなかったが六回結婚《けっこん》したため、宗教改革《しゅうきょうかいかく》の引き金となった〕陛下《へいか》さ！

　ああ、そうとも、そうとも。イングランドではヘンリー八世とキャサリン・オブ・アラゴン〔ヘンリー八世の最初《さいしょ》の王妃《おうひ》〕のぐだぐだの離婚騒動《そうどう》が、まだ治《おさ》まっちゃいなかった。キャサリンと離婚するためだけにヘンリーがイングランドごとローマ・カトリック教会からはなれただなんて、信《しん》じられるかい？　きっと、それほどひどい女だったんだろう！　それに、キャサリンの娘《むすめ》、メアリー〔メアリー一世。

在位一五五三〜一五五八年」を知ってるかい？　さっさと嫁《よめ》にやっちまえるといいんだけどね！

ヘンリーの友だちはみんな、あいつは結婚相手としちゃ最悪《さいあく》だと、口やかましく言う。ひどい結婚恐怖症《きょうふしょう》だし、国は破産《はさん》の危機《きき》のがけっぷちにいるし、ものすごく短気だし、自分でもわけがわからないほど大勢《おおぜい》の浮気《うわき》相手がいるんだから、と。けれど、厄介《やっかい》を抱《かか》えてない人間なんていると思うかい？

レスターは、ヘンリーが大きらいだ。レオを亡《な》くしたショックで、あんな王さまなんかにひかれてるんだと言う。たしかに、そのとおりかもしれない。レオがいないのを心の底《そこ》からつらく思わずに過《す》ごす日なんて、一日たりともないんだ。ありがたいことに、結婚式《けっこんしき》の計画をたてているおかげで気がまぎれてくれているけれどね。

もちろん、王族と結婚するとなると、あれやこれやとさわがれるのはさけられない。宮廷《きゅうてい》には、ヘンリーが私《わたし》の親友、アン・ブーリン［キャサリン・オブ・アラゴンの侍女《じじょ》だったが、ヘンリー八世の二番目の王妃となる］にほれてるってうわさがさかんに流れてる。私はみんなに、ふたりの関係《かんけい》は完全《かんぜん》にプラトニックなものなんだと説明《せつめい》してまわってる。アンがしょっちゅう宮廷にいるのは、実をいうと私の結婚式でつきそいをしても

らうためなんだ。私の未来《みらい》のだんなさまを誘惑《ゆうわく》するような裏切《うらぎ》り、あの子がするわけがない！

まったく、ヘンリーの友だちは、ひどい説教《せっきょう》好《ず》きばっかりだ！　さて、そろそろ晴《は》れ舞台《ぶたい》の計画にもどるとしようか。いくらでもお金をかけられるパーティーが計画できるなんて、二度とないことなんだからね！

1565年　ロンドン

大切な日記帳へ

かげ口ばかりの裏切《うらぎ》り者《もの》、アン・ブーリンなんて、信《しん》じられるかい？　あの女、結婚式《けっこんしき》の前夜に私《わたし》から婚約者《フィアンセ》を盗《ぬす》んだばかりか、自分たちの娘《むすめ》、エリザベス「ヘンリー八世とアン・ブーリンの娘、エリザベス一世のこと」のゴッドマザーにしようだなんて、どんな神経《しんけい》してるんだろうね。まあ、今はもう気にしちゃいないよ。最後《さいご》にはアンも、当然《とうぜん》のむくいを受けたんだからね。あの女が処刑《しょけい》された夜に私がひらいた盛大《せいだい》なパーティーは、今でも人びとの語りぐさになっているんだよ。

　両親はひどい連中《れんちゅう》だったけれど、娘のエリザベスは憎《にく》もうにも憎めなかった。なんとも頭がよく、心が強く、骨《ほね》のある娘なんだ。自分があの子と同じくらいだったころを、思いださずにはいられないんだよ。テューダー朝という男社会の中で生きるつらさは私にもわかるから、心配になった私は、大人になったエリザベスをさがしたんだ。

　王位継承権《おういけいしょうけん》では第三位《い》だったけれど、私はいずれエリザベスが女王になるんだと予感していた。そしてイングランドにとっては幸運なことに、その予感は的中《てきちゅう》した。

　あるとき、ロンドンあたりで子供《こども》たちにおとぎ話を語っている私を、エリザベスがブランチに招待《しょうたい》してくれた。この日はやたらとでかい襟飾《えりかざ》りをつけていたから、たぶんそのせいでストレスがたまってたんだろうね。

「リズ、どうしたのさ？」私はたずねた。

「大臣《だいじん》たちが、結婚《けっこん》してあとつぎを作れってしつこくてたまらないのよ」エリザベスがため息をついた。「あとつぎが生まれないかぎり、女王としてちゃんと認《みと》められないっていうのよ」

「まったく、くだらない話だね！」私は目を丸くした。「ウィリアム征服《せいふく》王以来《いらい》、あんたはこの国に誕生《たんじょう》した最高《さいこう》の君主だってのに」

「結婚したり子供を持ったり、したくないわけじゃないのよ」エリザベスが言った。

「でも、あの人たちがどんな男の人たちを連《つ》れてきたか、見せてあげたいわ。それに

従兄弟《いとこ》と結婚するなんてごめんだわ！」

「やれやれ……あんたのお父さんとはいろいろあってまだ私も傷《きず》ついてるけれど、結婚なんて、そんなのくらべものにならないくらい最悪《さいあく》だね！　あんたはここでよくやってるよ、リズ。男なんかがやってきて引っかきまわされたんじゃ、あんたもたまったもんじゃないだろう」

「ええ、おっしゃるとおり」エリザベスはうなずいた。「でも、どうしたらいいの？　大臣たちになんて言えばいいのよ？」

「結婚してるって言ってしまえばいいさ……イングランドと結婚してるってね！　そして、自分とお似合《にあ》いの、スマートでハンサムで政治的《せいじてき》な面倒《めんどう》を持ちこんだりしない王子があらわれたら、そのときは結婚をまじめに考えるって言ってやるのさ。それまでは、自分は処女《しょじょ》王なんだって宣言《せんげん》しちまいなよ！　神と人民《じんみん》のために、自分は純《じゅん》血《けつ》のままでいるんだってね。そうすりゃあんたはもう、ロック・スターさ！」

エリザベスはしばらく私のことばを考えてから、こくりとうなずいた。ド派手《はで》な襟飾りのせいで、ほんのすこししか首は動かせなかったけれどね。

「さあ、私の話はこのへんにしときましょ！　それより、あなたとロバート・ダドリー［イングランドの貴族。エリザベス一世から、統治《とうち》の際《さい》に頼《たよ》りにされた］がどうなってるのか聞かせてちょうだい！　彼《かれ》があなたにぞっこんなの、みんな知っているのよ！」

1590年　日本

大切な日記帳へ

しばらくごぶさただったけれど、許《ゆる》しておくれ。これにはちゃんとした理由があるんだよ。この五年間、私《わたし》とレスターは日本で、紀伊《きい》山地の奥深《おくふか》くにある、忍者《にんじゃ》たちが住む秘密《ひみつ》の里で暮《く》らしていたんだ。前にも同じ話をしたことはあったけれど、あれは〈めでたしめでたし会議《かいぎ》〉の集まりを何度も何度も休んでいるせいで妖精院《フェアリー・カウンシル》がすっかり私に腹《はら》をたてていたから、ごまかすための作り話だった。でも今度の忍者は本物だし、その証拠《しょうこ》に、私の体は戦《たたか》いでできた傷《きず》だらけさ。

甲賀《こうか》にある人里はなれた村に住む子供《こども》たちにおとぎ話を聞かせに行ったのが、すべてのはじまりだった。もし忍者《にんじゃ》戦士《せんし》が秘密の訓練《くんれん》をする村だと知っていたなら、もっと動きやすいズボンをはいていったろうね。私の服装《ふくそう》を見た忍

者たちはすぐさま侍《さむらい》のスパイだと思いこんじまった。そんなに若《わか》く見えるのかしらと
すっかりうれしくなったんだけれど、結局《けつきょく》忍者たちにつかまって、あやうく殺《ころ》され
ちまうところだったよ。
生きのびるたったひとつの道は、忍者たちに心からの忠誠《ちゆうせい》を誓《ちか》うことだった。もち
ろん、目をつぶったって、連中《れんちゆう》の骨《ほね》ばった尻《しり》をムチでたたいてやっつけられたかもし
れないけれど、ヘンリー八世といろいろあって疲《つか》れきっていた私は、仲間《なかま》になってみ
ようって気になったのさ。
それから数か月、私とレスターはいにしえの忍術《にんじゆつ》を学びながら過《す》ごした。月曜日は
スパイ術《じゆつ》、火曜日は暗殺術《あんさつじゆつ》、水曜日は戦闘術《せんとうじゆつ》、木曜日は策略《さくりやく》、そして金曜日にはフィ
ンガー・ペインティングを学んだんだ。なぜか忍者は、フィンガー・ペインティング
が大好《だいす》きなんだよ。びっくりだろう?
教えてもらった忍術をひととおり身につけてしまった私は、自分が得意《とくい》とするレス
リングの技《わざ》を忍者たちに教えはじめた。むかし取ったきねづかってやつさ。忍者たち
はドラゴンの話にすっかり夢中《むちゆう》になり、私はものすごく尊敬《そんけい》を集めるようになった。
忍者たちは、私を「くのいちお母さん」と呼《よ》ぶようになった。これは、マザー・ニン

ジャって意味さ。そしてレスターは「デブなやつ」と呼ばれてた。私たちはそのあたりの地主にやとわれ、領地《りょうち》を横取りしようとする、腐敗《ふはい》しきった侍たちと忍術で戦った。私の人生でも、あのころの戦いがいちばん激《はげ》しかったね。そうして仕事に出ると、いつも何人かは帰ってこられなかった。胸《むね》をはって話せるようなことばかりじゃないけれど、とりあえず、まとまったお金を稼《かせ》ぐことはできた。

　けれど、ついに侍たちがおそいかかってきた。織田信長《おだのぶなが》［一五三四〜一五八二年。安土《あづち》桃山《ももやま》時代の武将《ぶしょう》であり、日本全土を統一《とういつ》した天下人］という武将――私はカワバンガ［アメリカのアクション漫画《まんが》『ミュータント・タートルズ』に出てくる忍者にふんするカメの主人公がうまくいったときに言う「やったね！」というニュアンスの決め台詞《ぜりふ》に引っかけていると思われる］と呼んでたけどね――が侵略《しんりゃく》してきて、甲賀をふくめ、そのあたりの忍者を一掃《いっそう》してしまったんだ。生《い》き残《のこ》った忍者たちは紀伊山地に逃《に》げこみ、それからずっとここで暮らしている。みんなで復讐《ふくしゅう》の計画をたてながら過ごしているのだけれど、どうやら私は、あきてきちゃったみたいだ。

　自分の履歴書《りれきしょ》に「忍者戦士」なんて書ける日がくるなんて思ってもいなかったし、ものすごく貴重《きちょう》な体験《たいけん》なのはたしかだけれど、そろそろ家に帰りたくなってきた。人

生には、ふっと「ここは私の居場所《いばしょ》じゃない」って気づく瞬間《しゅんかん》があるものだけれど、今がまさにその瞬間さ。てっきり地中海クルーズだと思いこんで、クリストファー・コロンブス〔一四五一〜一五〇六年。イタリアの探検家《たんけんか》、航海者《こうかいしゃ》、商人。アメリカ大陸《たいりく》を発見した〕の船に乗ったときみたいな気持ちだよ。

それにしても、レスターはこんなスパイみたいな暮らしに向いているとは思えないね。今は忍術にすっかり夢中になっているよ。最近《さいきん》じゃあ、自分のことをツルとしてあつかえと言って聞かないんだ。私もレスターもそろそろこの山から抜《ぬ》けだして、本業にもどったほうがよさそうだ。

1719年　カリブ海

大切な日記帳へ

ときには、女子力の高い週末《しゅうまつ》を過《す》ごさなきゃいけないこともあるものさ。私《わたし》の場合は週末どころか、六か月にもわたってリベンジ号という名の海賊船《かいぞくせん》で大海原《おおうなばら》を旅したんだけれどね。私は友だちのアン・ボニー［海賊《かいぞく》の黄金時代といわれている十八世紀《せいき》にカリブ海で活躍《かつやく》した女海賊］とメアリ・リード［アン・ボニーと同じ時代にカリブ海で活躍した女海賊］といっしょに副船長《ふくせんちょう》をしていた。ふたりとはその何年か前に、ジャマイカで知りあった。三人ともたちの悪い彼氏《かれし》から自由になって、なにかおもしろいことをさがしてたんだ。

何杯《なんばい》か酒を飲んだあと、私たちは船を盗《ぬす》んでカリブ海を旅してまわろうって決めた。そうするしかない気分になっちまったんだけど、こいつは大正解《だいせいかい》だった！　ふたりがそれを思いついてくれてよかった。私は、みんなで髪型《かみがた》を変《か》えちまおうって言いかけてたところだったからね。

海賊船を乗っとり男たちを働《はたら》かせるのは、失恋《しつれん》の痛《いた》みを消してくれる最高《さいこう》の癒《いや》しだった。私たちは山ほどの金塊《きんかい》を盗みだすと、それを自分たちしか知らない無人島《むじんとう》に埋《う》めた。

その船じゃあ、何度か最高の思いを味わった。そして、私たち三人は誓《ちか》いをたてたんだ。二度と陸地《りくち》にはもどらず、死ぬまで海の上で過ごそうってね。でも悲しいことに、アンの元彼《もとかれ》、海賊のジョン・ラカム、通称《つうしょう》「キャラコ・ジャック」が私たちに追いついてきた。まあそもそも、その男の船だったからね。アンと男は当然《とうぜん》のように元サヤにおさまり、私たちのきずなもすっかり変わっちまった。

メアリはアンとジョンのところに残ったけれど、私はちがった。海は大好《だいす》きだけれど、ふたつの世界をまたいだ元の暮《く》らしにもどりたくてたまらなくてね。うそみたいな話だけど、レスターと妖精《ようせい》たちに会いたくなっちまったんだよ。

1774年　ヴェルサイユ

大切な日記帳へ

きのうの夜はヴェルサイユ宮殿《きゅうでん》で、レスターといっしょにすばらしいパーティーに出てきたよ！　噴水《ふんすい》の池に浮《う》かんだ長椅子《シェーズ・ロング》で目をさまし、どうやってそこまで来たのかさっぱり思いだせないってことは、つまり最高《さいこう》のひとときを過《す》ごしたって証拠《しょうこ》さ。

マリー・アントワネット［一七五五～一七九三年。フランス国王ルイ十六世の王妃《おうひ》］は、楽しみかたをとてもよく知っている人だよ！　だんなの家族にいくら私《わたし》を呼《よ》ぶなと反対されても招待《しょうたい》しつづけてくれるんだから、本当にすてきな人じゃないか。

フランス王家と私は、まったく気があわなかった。一世《せい》紀《き》前、私がうっかり「ちょっとごめんよ、おばちゃん」と、ルイ十四世［一六四三～一七一五年在位《ざいい》。高いヒール靴《ぐつ》を好《この》んで世間にも広めた」に言ってしまったのが原因《げんいん》さ。いいわけすると、あの王さまが長いくるくる巻毛《まきげ》のカツラをつけて、ハイヒールをはいてたせいだよ。だれだっておばちゃんだと思うに決まってる。それっきり、私は「招待するなリスト」に名前を入れられちまったわけだよ。

マリーもまた、なかなかフランス人たちから受け入れられずにキツい日々を送っていた。パリのオペラ座《ざ》で出会ってすぐに深いきずなで結《むす》ばれることができたのは、きっとそのおかげだね。人びとは、なにからなにまでマリーのせいにした。まるで、なにかあるとすぐに私を指さす妖精院《フエアリー・カウンシル》の連中《れんちゅう》みたいにね。

ともあれ、私は泳いで池から出ると、庭にちらばっていた靴と帽子《ぼうし》をさがしだし（これまた、なんでそんなことになっているのか、さっぱり思いだせなかった）、よろよろと宮殿の中にもどっていった。レスターはまだ、宮殿のソファで眠《ねむ》りこけていた。あの子は夜ふかしした翌日《よくじつ》は、隕石《いんせき》が地球に衝突《しょうとつ》したって目をさましゃしないんだ。

前の晩《ばん》のシャンパンとデザートがまだ山のように残《のこ》っていて、メイドたちはまだ片《かた》づけに大忙《おおいそが》しだった。私は、残ったケーキをいくつか持ち帰るために包《つつ》んだ。ヴェルサイユのケーキは、ほかでは絶対《ぜったい》にお目にかかれないような絶品《ぜっぴん》なんだ！

マリーは自分の部屋にいた。何時間も前に起きていて、頭の上には完璧《かんぺき》にセットした髪《かみ》の毛《け》が何十センチもの高さにそびえ立っていた。まさにパーティーの主役《MVP》って風《ふう》格《かく》だね！

「マリー、本当にすてきな夜をありがとうって伝《つた》えたくて来たんだよ」私は声をかけた。「あんなに楽しかったのは、十字軍《じゅうじぐん》の遠征《えんせい》［キリスト教徒《きょうと》がイスラム教徒から聖地《せいち》エルサレムを取りもどすための戦《たたか》い］以来《いらい》だったよ」

「マザー・グース！　よかった、生きてたのね！　窓《まど》から落ちてしまったのを見て、みんな死んだと思ってたのよ！」マリーがさけんだ。

「なるほど、やたらと首が痛《いた》むわけだわ……。庭のようすじゃあ、私は落ちてからもパーティーをつづけてたみたいだね」

　とつぜんひとりの衛兵《えいへい》が部屋に駆《か》けこんできた。汗《あせ》だくで息をきらしていたけれど、最初《さいしょ》私たちはたいして気にもとめなかった。ヴェルサイユ宮殿はひたすら巨大《きょだい》だから、マリーの部屋に来る人たちはみんなだいたい汗だくで息をきらしているんだ。

「王妃さま、宮殿が攻撃《こうげき》を受けています！　何百人という村人が、門に押《お》しよせてきているのです！　餓死《がし》しそうだとさけびながら！」衛兵が悲鳴をあげた。

「まあ大変《たいへん》、いったいどうすれば?」マリーが言った。

「アドバイスしてもいいかい?」私は口をはさんだ。「パーティーの残りものが山ほどあるだろう? 村人たちにケーキでも出してやったらどうだい? きっと気に入るはずだよ……あんなにおいしいケーキ、私も食べたことなかったんだからね!」

「すばらしいアイデアだわ、マザー・グース」マリーはそう答え、衛兵にこくりとうなずいてみせた。「ケーキを食べさせてあげなさい!」

頭の固《かた》いフランス貴族《きぞく》たちがマリー・アントワネットをどう言おうが、私は知ったこっちゃない。あんなパーティーをひらける王妃こそ、私が支《ささ》えたい王妃なんだ!

1775年　コルシカ

大切な日記帳へ

私《わたし》のアドバイスも、マリー・アントワネットには逆効果《ぎゃくこう か》だった。フランス人たちが、カンカンに腹《はら》をたててしまったんだ！　今は国じゅうが大さわぎさ。みんな、すぐに革命《かくめい》が起こるって言ってるよ。みんないかり狂《くる》い、だれかれかまわずののしってる。セイラムの魔女裁判《まじょさいばん》［一六九二年にアメリカのマサチューセッツ州セイラム村で二百人近くの人が魔女《まじょ》として告発《こくはつ》され、裁判《さいばん》がはじまった］を思いださずにはいられないね……逃《に》げられるうちに逃げだしとくにかぎるってもんさ！

今日、私は大混乱《だいこんらん》のヨーロッパ大陸《たいりく》から逃げだし、おとぎ話を広めるためにコルシカ島に向かった。子供《こども》たちなんてたいしていないのは知っていたけれど、ともかくお日さまの光があびたかった。行ってみると、大きくてすてきな屋敷《やしき》があった。玄関《げんかん》をノックすると、ギョロ目のメイドが出てきた。

「ちょっと聞きたいんだけど、このへんに子供たちはいるかい？」私はたずねた。

「ああ、新しい家庭教師《かていきょうし》の先生ですね！」メイドは大きなため息をつくと、三十センチくらい体がちぢんだように見えるほど、ほっとして肩《かた》の力を抜《ぬ》いた。

「家庭教師？ ちがうよ。悪いけど人ちがいだね」

「本当に？」メイドは必死《ひっし》な顔で言った。「日給《にっきゅう》五百フランももらえるのに……」

「人ちがいなんかじゃないね！」私はすぐに答えた。

メイドは私を中に入れると、まるで教室みたいにととのえられた応接間《おうせつま》に案内《あんない》した。ひとつだけ机《つくえ》が置《お》かれていて、むっつり顔の男の子がすわっていた。腕組《うでぐ》みをして、下くちびるを突《つ》きだしている。ひと目見ただけで、こいつは面倒《めんどう》な子供にちがいないと思ったね。

「ボナパルトさま［ナポレオン・ボナパルト。フランス革命後の混乱《こんらん》をおさめた皇帝《こうてい》・革命家《かくめいか》］？」メイドはまるで危険《きけん》な動物を前にしたように、おずおずと男の子に声をかけた。「新しい家庭教師の先生がいらっしゃいましたよ」

男の子がすぐさまきつい目でにらんできたので、私はぎくりとした。あんな顔の子を愛《あい》してくれるのは、きっと母親だけだろうね。

「どんな先生をやとっても、すぐに辞《や》めてしまうので大変《たいへん》なんです」メイドがこそこそと、私にささやいた。

「あのようすじゃあ、いくら壁紙《かべがみ》を貼《は》ってもすぐやぶいちまうことだろうね」

メイドは部屋を出ていき、しっかりとドアを閉《し》めた。一瞬《いっしゅん》、閉《と》じこめられたんじゃないかと思い、ひやりとした。私はだまされたんだろうか？　この子供、まさか私を食う気じゃないだろうね？

「さあて、最近《さいきん》の先生はあんたたち子供になにを教えてるんだい？」私は声をかけてみた。

男の子はギロリと私をにらみつけ、さらにくちびるを突きだした。

「なるほど、無口《むくち》な子なんだねえ、ええと……ナポレオン」私は、机に置かれた名札《なふだ》を読みあげた。

それでも、男の子はまだ口をきかなかった。私は、なにか教えられることはないかと部屋を見まわして、黒板のすぐそばに、〈アザーワールド〉が描《えが》かれた大きな地球《ちきゅう》儀《ぎ》があるのに気がついた。男の子は両腕《りょううで》をおろすと、まるでそんなに美しいものなどほかにありはしないとでもいったように、うっとりと地球儀を見あげた。

「地理の授業《じゅぎょう》なんてどうだい？」私はフランスを指さした。「ナポレオン、これは？」

「僕《ぼく》の国？」男の子が答えた。いきなり口をひらいたので、私はびっくりした。まるでおこったチワワみたいな声だ。

「おしいね。あんたが住んでるのはコルシカ島だよ。じゃあこっちは？」

「僕の国？」ナポレオンは、不敵《ふてき》に片方《かたほう》の眉《まゆ》をあげた。

「はずれだよ」私は首を横にふった。「それはイタリアさ。ここに住んでたころ、仲《なか》のいい友だちがいたよ。レオナルド・ダ・ヴィンチっていってね。もしかして、だれか前の先生から教わったことがあるんじゃないのかい？」

男の子は地球儀のほかには興味《きょうみ》がないようだったので、私は地球儀の話をしつづけることにした。

「じゃあ、この国はどうだい？　ヒントをあげよう。最初《さいしょ》の文字はエだよ」

「僕の国？」ナポレオンが答えた。どうやら前の先生たちは、ことばを教えるまもなく辞めていってしまったようだ。

「いいや、ここはエジプトさ。じゃあ、すみっこにあるこのでかい国はどうだい？

どこだかわかるかい？」私はロシアを指さした。

ナポレオンの顔に、ゾッとする笑《え》みが広がった。「僕の国……」と、おそろしいような声でささやく。すっかり熱《ねつ》にうかされたようなそのようすを見て、めまいでも起こしちまうんじゃないかとこわくなったほどさ。

「いつか世界をまるごとほしいんなら、軍隊《ぐんたい》でも作ったほうがいいね、ナポレオン」

私は、さもおかしそうに笑《わら》ってみせた。

ナポレオンはきっと私がふざけているとは思わなかったんだろうね。いきなり立ち上がると、机にぶつかって倒《たお》しながら、部屋を駆《か》けだして行ってしまった。なんておそろしい子供だろう。お給料《きゅうりょう》をあげてもらわなくちゃいけないね。

1869年　ワシントンD・C

大切な日記帳へ

訪《おとず》れるたび、アメリカ合衆国《がっしゅうこく》は私《わたし》を大きく変《か》えてくれる。ルイスとクラーク［アメリカ軍《ぐん》のメリウェザー・ルイス大尉《たいい》とウィリアム・クラーク大尉の探検隊《たんけんたい》。ミシシッピ川から太平洋への陸路《りくろ》での横断《おうだん》に、アメリカ人として初《はじ》めて成功《せいこう》した］のふたりと出かけた北西部への探検《たんけん》旅行で、ショーショーニー族のインディアン、サカガウィアって名前の娘《むすめ》に力を借《か》りられて、本当に助かった。じゃなきゃ、アメリカがこんなに広い国になることもなかったろう。どうかアメリカが、この土地に見合うくらい偉大《いだい》な国へと発展《はってん》してくれますように。

今日はスーザン・B・アンソニー［一八二〇〜一九〇六年。アメリカの女性《じょせい》が参政権《さんせいけん》を得《え》るために活動した］とエリザベス・キャディ・スタントン［一八一五〜一九〇二年。社会活動家、奴隷《どれい》制度《せいど》廃止《はいし》論者《ろんじゃ》」、そして勇気《ゆうき》あるたくさんの女たちといっしょに、女性の参政権を求《もと》める集会に出てきたよ。このつきあいは何年か前、みんなが「女性に参政権を！」というプラカードをかかげて、市役所の前で抗議《こうぎ》集会をひらいているのを見かけたときにはじまった。

スーザンとエリザベスは私をディナーに連《つ》れだすと、自分たちがなんのために戦《たたか》っているのかをぜんぶ説明《せつめい》してくれた。話を聞いて、私はびっくりしたね。だって〈アザーワールド〉のほとんどの国々じゃあ女たちは男よりも下に見られていて、アメリカ合衆国では選挙《せんきょ》で投票《とうひょう》することも許《ゆる》されていないっていうじゃないか。こんなバカげた話、ほかにありゃしないだろう？　私がもっと早くそれを知ってたら、何億年《なんおくねん》も前に解決《かいけつ》しようとしてたにちがいないよ！　きっと友だちのベンジャミン・フランクリン［一七〇六～一七九〇年。アメリカ建国《けんこく》の父。アメリカの百ドル札《さつ》の肖像《しょうぞう》になっている］に言って、女にも参政権をよこすよう憲法《けんぽう》に書《か》き加《くわ》えてもらっただろうね。一七〇〇年代、珍《めずら》しいことに私からお金を借りた連中《れんちゅう》が何人かいたんだが、ベンジャミンはそのうちのひとりだったんだ。

頭脳《ずのう》、強さ、そしておそれ知らずのリーダーシップを持つ女はたくさんいる〈エリ

VOTES FOR WOMEN
VOTES FOR WOMEN
VOTES FOR WOMEN

ザベス女王も、エカチェリーナ二世も、ヴィクトリア女王も、マリア・テレジアもそうだ。まあ、みんな私の古い友だちだけどね！）。なのに、たかが選挙権《せんきょけん》を手にいれるために、女がこんなにも必死《ひっし》に戦わなくちゃいけないなんて！　なにからなにまでバカげてるってもんだよ。

きっと集会をやめさせようとした男たちはみんな、女たちに自分のうそを見ぬかれて仕事を横取りされるのがこわかったんだろうね！　私はよく女たちに言ってやったもんさ。「おとぎ話の世界じゃあ、男の王さまよりも女王のほうが多いんだ。おかげでこの国よりもずっといいところなんだよ！」ってね。

そして、勇気をなくした女の子を見つけるたびに、こう声をかけてやった。「なにも心配はいらないよ。あんたが私の年になるころには、女が選挙権を持ってるだけじゃない。男たちが、女を大統領《だいとうりょう》にしようと投票しているはずだよ！」

1886年　テキサス

大切な日記帳へ

この八か月、私《わたし》とレスターは、〈バッファロー・ビルのワイルド・ウエスト・ショー〉っていうサーカスの一座《いちざ》といっしょに、アメリカじゅうを旅してまわっている。何千人っていう観客《かんきゃく》たちをとりこにしてるんだ！　レスリングをしていたころを思いだしちまうね。

まあ、主役はアニー・オークレイ［一八六〇〜一九二六年。射撃《しゃげき》の名手でワイルド・ウエスト・ショーの看板《かんばん》スター］だけれど、それをさしひいてもゾクゾクするほど楽しいんだよ。大観衆《だいかんしゅう》の前で危険《きけん》なショーをすると、アドレナリンが体じゅうを駆《か》けめぐる。あの感じは、そりゃもうやみつきさ。

私たちは、ヨーロッパでの初公演《はつこうえん》の準備《じゅんび》をしていて、みんなの興奮《こうふん》は日に日にどんどん高まっていた。私は、一座を連《つ》れてお気に入りの場所をあちこちまわりたくて、すっかりうずうずしていた。けれど出発の前の朝、ビルが私のトレーラーにやってきて、爆弾発言《ばくだんはつげん》をしたんだ。

「グース、とても言いにくい話なんだけどね……」ビルが口を開いた。「ほかの団員《だんいん》たちとも話していたんだが、ヨーロッパ巡業《じゅんぎょう》についてきてもらうのは、いい考えだと思えないんだ」

「ビル、どういう意味だい？　レスターと私はこの一座にとっちゃ、目玉のひとつだろう？」

「君たちはちょっと厄介《やっかい》の種《たね》になってるのさ、グース。お客の子供《こども》たちの頭にのせた瓶《びん》を撃《う》ちおとすのは、たしかにアメリカ西部じゃウケたかもしれない。でも、ヨーロッパじゃ許《ゆる》されないよ」

「カンザス州でやらかしたミスのことが言いたいのかい？　その話なら、あれからねらいがグンと上達《じょうたつ》したから大丈夫《だいじょうぶ》だよ！」

「ショーだけの問題じゃないんだよ」ビルは首を横にふった。「私たちはみんな、レスターにちょっとうんざりしているんだ。あれこれ気むずかしいし、ファンには失礼《しつれい》だし、食料《しょくりょう》をみんな食べちまうし、みんないっしょに旅をしてまわるのは大変《たいへん》だと

思ってるんだよ」

　そうやって追いだされるのは初《はじ》めてじゃなかったし、これから先だってあるだろう。もちろん落ちこんだけれど、反対したってしょうがない。才能《さいのう》ある芸人《げいにん》ってのは、舞《ぶ》台《たい》の去りどきを知ってるもんだ。

「それじゃあさようならだね」私は言った。「体に気をつけるんだよ、ビル。一八八九年のパリ万博《ばんぱく》に出たら、手紙を書いておくれ」

「そうするとも、グース」ビルがうなずいた。「君のおかげで、ショーで使う空き瓶にはいつだって困《こま》らなかったよ、ありがとう。いやはや、まるで雄牛《おうし》みたいな肝臓《かんぞう》の持ち主だね」

　レスターと私は荷づくりして、昼になる前に出発した。ビルのサーカスにはがさつなカウボーイどもがごろごろしてるってのに、まさか私たちがお荷物だと言われちまうとはね！　こんな扱《あつか》いされたのは初めてだよ。

　けれど、一座をはなれたのは、たぶんよかったんだと思ってる。レスターも私も、さっさと西部をはなれてしまいたくなっていた。ここにいると、見えないところまでほこりまみれになっちまう。まだジェシー・ジェイムズ［一八四七～一八八二年。十六年のあいだに、銀行強盗《ごうとう》十一回、列車強盗七回、十五人以上《いじょう》の殺害《さつがい》をした泥棒《どろぼう》」が生きていたら、自分たちで西部《せいぶ》劇《げき》でも作ったところだけどね。

1938年　南太平洋

大切な日記帳へ

おとぎ話を広めながら南米をまわったレスターと私《わたし》は、そろそろひと休みしてもばちは当たらないだろうと考えた。そこで、南太平洋に行って、だれにも邪魔《じゃま》されない――妖精院《フェアリー・カウンシル》にも見つかりそうにない――快適《かいてき》な無人《むじん》島《とう》でも探《さが》そうってことになった。でもどうやら、そんな計画をしていたのは、私たちだけじゃなかったようだ。

　太平洋上空を飛《と》んでいると、はるか下の無人島でなにかがキラリと光った。いやというほど見覚《みおぼ》えのある銀の飛行《ひこう》機《き》だ。私たちはもっとよく見てやろうと、島の上空をぐるぐるまわった。浜辺《はまべ》に竹でできたビーチ・チェアがあり、女がひとりのんびりくつろいでいた。日光浴《にっこうよく》をしながら、ココナッツ・ジュースを飲んでいる。

「あらまあ！　レスター、あれはアメリア・イアハート

「一八九七〜一九三七年。アメリカで初《はじ》めて大西洋単独飛行《たんどくひこう》をした女性飛行士《じょせいひこうし》」じゃないか！」まるで奇跡《きせき》だね！　アメリアは、一年も姿《すがた》をくらましてたんだ！　きっと世界一《せかいいっ》周飛行《しゅうひこう》の途中《とちゅう》で海に墜落《ついらく》して死んじまったもんだろうと、世界じゅうが思ってた。

レスターと私は島に急降下《きゅうこうか》すると、アメリアのすぐ横の砂浜《すなはま》に着陸《ちゃくりく》した。

「アメリア！　本当にあんたかい！」私は、なつかしい友だちを抱《だ》きしめた。「世界じゅうがあんたを探してるんだよ！　生きてて本当によかった！」

　でも私とちがい、アメリアはせっかくの再会《さいかい》なのにあんまりうれしくなさそうだった。むしろ、ちょっと迷惑《めいわく》そうな顔をしてたんだ。

「久《ひさ》しぶり、マザー・グース」アメリアが言いにくそうに言った。「やれやれ……つかまっちゃったわね」

「つかまっちゃったって、どういう意味だい？」質問《しつもん》した私は、すぐアメリアが言いたいことがわかった。飛行機は、どこもこわれてなんかいなかったんだ。「この島に墜落したわけじゃないんだね？」

「ええ、ちがうわ」アメリアが答えた。「ごめんなさい！　世界じゅうの人たちに心配をかけて、心の底《そこ》から悪いと思ってるけれど、どうしてもお休みが必要《ひつよう》だったのよ！　家にいても、プレッシャーから逃《に》げられないんだもの。新聞社はいつでも追いかけてくるし、カメラマンはどこにでも付《つ》いてくるし、どれだけ飛びつづけたって、だれも満足《まんぞく》してくれないわ！　みんな、もっと飛べ、もっと飛べと言うばかり……なにをしても、まだ足りないってね！　だからせめてわずかでも自分だけの時間を手にいれるには、世界一周飛行をぶちあげて姿をくらませてしまうしかなかったのよ。お願《ねが》いだから、きらいにならないで」

「きらいになる？」私は答えた。「むしろ、となりに椅子《いす》を置《お》いていいか聞こうと思ってたんだよ！」

1942年　イングランド

大切な日記帳へ

今日はあんまり書けなかった……世界じゅうが戦争《せんそう》してるんだ！　レスターと私《わたし》も、ナチスとの戦《たたか》いに参《さん》加《か》しているんだよ。イングランドのウィンストン・チャーチル［第二次世界大戦時の一九四〇〜一九四五年に首相《しゅしょう》をつとめた］首相から、イギリス空軍《くうぐん》を指揮《しき》してくれと直接《ちょくせつ》たのまれてね。だから細かいことは話せないのさ。幸運を祈《いの》っておくれ！

今〈アザーワールド〉は大変《たいへん》な時期だけれど、私はみんなに、「冷静《れいせい》に、戦いつづけよ！」と声をかけまくってる。このことばが、人びとの心をがっちりつかんでるんだ。私にとっちゃジャックとジル以来《いらい》、最高《さいこう》の名言だろうね。

1954年　ハリウッド

大切な日記帳へ

今日はカリフォルニアで、ウォルト・ディズニー［一九〇一〜一九六六年。ミッキー・マウスの生みの親であり、ディズニー・リゾートの創設者《そうせつしゃ》］とランチをしたよ。ウォルトはもう何年も、私《わたし》の伝記《でんき》映画《えいが》が撮《と》りたくて、映画化権《えいがかけん》をほしがってるんだ。売りものじゃないと言いつづけているんだけど、ウォルトはもしかしたら私が心変《こころが》わりするんじゃないかと思い、食事やプレゼントづけにしているのさ（どうやらウォルトは来年テーマ・パークを作るので、いまは大忙《おおいそが》しみたいだ。面と向かっては言わないけれど、話を聞いていると失敗《しっぱい》するとしか思えないね）。

あるとき、自分でもよくわからないうちに、うっかりビリー・ワイルダーっていう映画監督《えいがかんとく》のオフィスにさまよいこんだことがあった。ビリーは私をひと目見るやいなや、

『七年目の浮気《うわき》』っていう映画《えいが》の主役オーディションを受けてくれと頭をさげてきた。

まさかこの私が映画業界に入るだなんて、考えたこともなかったよ……だってアップでカメラを向けられたら、どんなに光を当てたってしわをごまかせるわけがないからね。でもワイルダーは私がその役にぴったりだと言いきった。私みたいな魅力《みりょく》とカリスマを持つ女優《じょゆう》を何か月も探《さが》しつづけてたんだってね。そんなふうに言われたら、断《ことわ》れるわけがないだろう?

ワイルダーは私に脚本《きゃくほん》をわたし、オーディションをしている防音《ぼうおん》スタジオへと連《つ》れていってくれた。映画を台無《だいな》しにするのは気が進まなかったけど、なんとこれが大成《だいせい》功《こう》! 最初《さいしょ》のシーンを演《えん》じおえたら、みんなが立ち上がって拍手《はくしゅ》してくれたんだ。ハリウッドにも、私みたいな人間の時代が来たってことかもしれないね。

「本当にありがとう、ミス・グース!」ワイルダーが言った。「いやあ、本当に感動《かんどう》的《てき》だった! これからもよろしくたのむよ!」

私は鼻が高くなり、軽《かろ》やかな足取りで歩いていった。そして、廊下《ろうか》で自分の番を待っている女優に出くわした。かわいらしい、ブロンドの女優だ。ワイルダーたちが探しているのとは、ぜんぜんちがうタイプだね。

「傷《きず》つけたくはないけれど、役は私がもらったよ」私は声をかけた。

「次の人！　マリリン・モンロー〔一九二六年〜一九六〇年。アメリカの女優〕さん！」ワイルダーの大声が聞こえた。

女優は緊張《きんちょう》しながら、防音スタジオに入っていった。かわいそうに。なかには、ハリウッドで活躍《かつやく》できない星の下に生まれた人だっているものなのさ。

1963年　ワシントンD・C

大切な日記帳へ

女《じょ》性《せい》の参《さん》政《せい》権《けん》のために活動してから一世《せい》紀《き》はたとうかというのに、気がつけば私《わたし》はこうしてワシントンD・Cで、権《けん》利《り》を求《もと》めるデモに参《さん》加《か》している。今度はマーティン・ルーサー・キング・ジュニア〔一九二九〜一九六八年。キング牧《ぼく》師《し》の名で知られる、アフリカ系《けい》アメリカ人の公《こう》民《みん》権《けん》運動の指《し》導《どう》者《しゃ》〕、そして数えきれない人たちといっしょに、公民権を求めて行進しているんだ。

この〈アザーワールド〉でわけがわからないのは、肌《はだ》の色によって人びとの扱《あつか》われかたがぜんぜんちがうところだよ。〈ランド・オブ・ストーリーズ〉には本当にいろんな色の肌を持つ人がいるけれど（黒、白、青、緑、赤、黄色、オレンジ、紫《むらさき》……。とにかく、ありとあらゆる色だ）、それだけでおかしな扱われかたをする人なんて、だれもいや

JOBS NOT WAR
JOBS

しない。さらに話が奴隷《どれい》ともなると、とても納得《なっとく》できるもんじゃないよ。奴隷なんて、トロルやゴブリンみたいな、野蛮《やばん》な連中《れんちゅう》がやることさ。それがこの世界じゃあ人間が人間を奴隷にしてるっていうんだから、信《しん》じられたもんじゃない。

長いこと〈アザーワールド〉をまわりながら、私はいろんなものを見てきた。そして、ひとつにまとまってこそ前に進めるんだということを学んだんだ。歴史《れきし》をふり返ってもその証拠《しょうこ》はたくさん見つかるっていうのに、どうして人種差別《じんしゅさべつ》をする連中がこんなにいるんだろうね？

本当に、すばらしい一日だった。キング牧師は力強いスピーチで、こんな老《お》いぼれが涙《なみだ》するほど心をゆさぶってみせたけれど、私はきっといつまでも、どうしてあんなデモが必要《ひつよう》だったのか、すっきりわからないままだろう。人として生きたいだけなのに、ほかの人たちと戦《たたか》わなくちゃいけないだなんておかしい話さ。いつの日か、もっと大勢《おおぜい》の人がそう思ってくれるはずだよ。

1969年　ウッドストック

大切な日記帳へ

ウッドストック……今日はこのひとことにつきるね。だれかは知らないけれど、ミュージック・フェスティバルなんてものを思いついた人間は、地球上でいちばんすごい人にちがいないよ。いや、待てよ……私《わたし》のアイデアだったかい？　どうも最近《さいきん》ものおぼえが悪くていけない（ついでに耳もね）。もしそうだとすると、こいつは私がこの世界にもたらしたいちばん大きな贈《おく》りものだよ。ハンプティ・ダンプティなんて、もうどうでもいいね！

あんたにもっとこの話をしてやりたいんだけれど、ウッドストックでのできごとは、とてもことばにできるようなもんじゃないんだ。この一週間を過《す》ごした後じゃあ、もうウォルト・ディズニーだって、私の人生を家族向け映画《えいが》になんてできっこないよ。

1970年　ラスヴェガス

大切な日記帳へ

今夜は友だちのフランク、ディーン、サミー、ピーター、ジョーイといっしょにヴェガスで飲みに出かけた。連中《れんちゅう》のおかげで、この老《お》いぼれも連《つ》れのガチョウも大笑《おおわら》いさ！　五人の映画《えいが》で笑《わら》ったり、アルバムを聞いて気に入ったりしても、連中がそろうと大さわぎになっちまうんだ。私《わたし》と同じくらいクレイジーなエピソードを持ってる友だちができるなんて、ほんとに最高《さいこう》さ！

　五人は自分たちのことを「ラット・パック［フランク・シナトラ、ディーン・マーティン、サミー・デイヴィス・ジュニア、ジョーイ・ビショップ、ピーター・ローフォードが結成《けっせい》したバンド］」と呼《よ》んでたけれど、私が行くところじゃあ、六人まとめて「ザ・グース軍団《ぐんだん》」という名で知れわたってた。みんなで、ナイトクラブで演奏《えんそう》しながらあちこち旅をしよう

と、おもしろ半分で話しあってるんだ。まあ、いいアイデアかどうかというと、どうだろう……？　なんといっても私は約《やく》三十、レスターは十五の州で、指名手配されているんだから。五人ともヴェガスで満足《まんぞく》しちゃくれないものだろうか？　レスターは気分が乗ったときには、翼《つばさ》を扇代《ファン》わりにして、ファン・ダンスを踊《おど》ってみせる。

そんなようすを見ながら、ビリー・ワイルダーから電話が一本もないのを思いだした。きっと例《れい》の映画は中止になったか、とんだ失敗作《しっぱいさく》になったにちがいない。もうみんな、昔みたいな映画の作りかたなんて、しやしないのさ。

1976年　マンハッタン

大切な日記帳へ

今日はニューヨークにある〈ファクトリー〉って名前のスタジオで、親友のアンディ・ウォーホル［一九二八〜一九八七年。アメリカの芸術家《げいじゅつか》であり、ポップアートの第一人者］と会ってきた。ずっとアンディの頭の中身をのぞいたらどんな感じかしらと想像《そうぞう》していたけれど、スタジオの中は、まさしくそのものって感じだったよ。抽象的《ちゅうしょうてき》な芸術《げいじゅつ》作品と、あちこち駆《か》けまわる奇妙《きみょう》なキャラクターたちだらけでね。

仲《なか》よくなったのは、もうずっと前のことさ！　まだ子供《こども》だったアンディが病気になったとき、病院でずっとつきそいながら物語をいくつも聞かせてやったんだ。アンディは生まれつきの変人《へんじん》だったから、私《わたし》たちはあっという間に仲よくなった。アンディのことも、アンディが生みだしたす

べての作品も、私は本当に誇《ほこ》らしいんだ。奇抜《きばつ》な空想から人が楽しめる作品を生みだすには、本物の才能《さいのう》ってやつが必要《ひつよう》だからね。

アンディは、ずっと取りくんでいた新しい作品の発表に、私や私の友だちを招待《しょうたい》してくれた。作品にかけていた布《ぬの》をアンディが取りはらった瞬間《しゅんかん》、私は幻《まぼろし》でも見てるんじゃないかと思ったよ。それぞれ独創的《どくそうてき》な色で塗《ぬ》られた私の同じ顔が四つ、そこにならんでいたからさ。妖精院《フェアリー・カウンシル》が見たら、まるでひどい悪夢《あくむ》だと思うだろうね。

「どうだい、新しいだろう?」アンディが私に言った。「ポップ・カルチャーの大好《だいす》きな人たちを、みんなこれと同じ作品にしようと計画してるんだ。でも、君みたいな人はほかにいやしないよ」

「アンディ、正直に言うと、私の好《この》みじゃないよ」私は答えた。「でも、カンヅメなんて描《えが》くのはおやめよって私のアドバイスから、こんな作品が生まれるなんてね!」

アンディのところに行くときは、レスターを家に置《お》いていかなくちゃいけなかった。アンディに髪型《かみがた》をまねされたって言って聞かなかったんだ。

2015年　ワシントンD・C

大切な日記帳へ

さて、今日はまたワシントンD・Cにもどってきた。ということは、もうわかるね？　そう、またデモに参加《さんか》するのさ！　今度はLGBT［レズビアン（L）、ゲイ（G）、バイセクシャル（B）、トランスジェンダー（T）の頭文字《かしらもじ》からとった多様な性《せい》］の友だちみんなといっしょに、結婚《けっこん》の平等をうったえるんだ。

デモにはずいぶん長くかかわってきたけれど、まさかこの私《わたし》が、愛《あい》する権利《けんり》のために行進するだなんてね。〈ランド・オブ・ストーリーズ〉じゃあ、愛することに決まりなんてない。愛情《あいじょう》がうっとうしくて、イライラすらしたものさ！　なのに今日みんなと行進していたら、自分が愛情をあたりまえのものだと思っていたことに気づかされちまったんだ。

EQUAL
EQUAL
MARRIAGE

歴史《れきし》に残《のこ》るデモ活動にはいくつも参加してきたけれど、今度のデモはいちばんはなやかで、いちばん楽しくて、音楽だって最高《さいこう》だったと言わざるをえないね！　あちこち虹《にじ》だらけで、どこを見ても妖精院《フェアリー・カウンシル》を思い出させられたものさ。ＬＧＢＴの連中《れんちゅう》は、どうやって自分たちの意見を伝《つた》えればいいのか、本当によくわかってる。

もういい加減《かげん》デモにもあきあきしてるんじゃないかと思うかもしれないけれど、私は信《しん》じる道から逃《に》げたりはしないよ。むかしはあれこれまちがいも犯《おか》したし、悪いことだってたくさんしたものさ。けれど私はいつだって、正しい歴史の味方なんだ。

さいごに

まったく、なんて人生を歩んできたんだろうね！　当時もそりゃあ疲《つか》れたけれど、ひとつひとつふり返って、すっかりくたくたになっちまったよ。でもどうやらこのようすじゃあ、まだまだ人生は休ませてくれないようだよ。この老《お》いぼれでも、まだいくつか冒険《ぼうけん》に出なきゃいけないみたいだ。見たい場所も、会いたい人も、行ってみたい町も、まだまだたくさんあるんだ。そして、残《のこ》っている借金《しゃっきん》もね……。

〈アザーワールド〉と出会う前のことを思うと、不思議《ふしぎ》な気分になる。私《わたし》は幸せじゃなくて、楽しいこともなくて、そして最悪《さいあく》なことに、だれからも認《みと》めてもらえずにいた。でもいくら自分の住む世界でこの冗談好《じょうだんず》きのばあさんが役に立たなかったからといって、必要《ひつよう》としてくれる世界がどこにもないってわけじゃない。ありがたいことに、私はその世界を見つけられたんだ！

あのときゆり椅子《いす》から立ち上がって〈アザーワールド〉に出かけなかったら、いったいどれだけの人や場所と出会えずにいただろうね。私がふれ合い、変《か》わる手助けをしてやった人たちのことを考えてごらん……私がいなかったら、きっとなにもかもちがっていたはずさ。たしかに、私なんかがいなくても〈アザーワールド〉は大丈夫《だいじょうぶ》だったかもしれない。けれど、それはだれにもわからない話なんだよ。

いいかい、自分が世界に、そして人の人生にどんな大きな変化《へんか》を起こすのかは、だれにもわからない。認められるべきなのに認めてもらえない人も、責《せ》められるべきなのに責められずにいる人も、たくさんいるものさ。これは、歴史《れきし》っていうものがけっして正しく残るものじゃないからなんだ……ずっとそうだったし、これからだってそうなんだよ。私たちにできるのはただ、歴史に残したいような毎日を送り、その日々がもっといい世界を作る力になってくれるよう祈《いの》ることだけさ。そう思って生きていれば、きっとそのうちだれかを助けることになるんだよ。そのだれかってのが、あんた自身だったとしてもね。

さてと、レスターがおこりだす前に、ごはんをやらなくっちゃね。思い出をずっとふり返ってたおかげで、レスターも私もすっかり腹《はら》ぺこなのさ。この老いぼれの思い出話にながながとつきあってくれて、心からお礼を言うよ。親友のキャロル・バーネット［一九三三年アメリカ生まれ。喜劇女優《きげきじょゆう》であり声優《せいゆう》。いまも現役《げんえき》で活躍中《かつやく》］が、いつも言っていたよ。「いっしょに過《す》ごせて、本当にうれしいわ」ってね。

訳者《やくしゃ》あとがき

この本は、〈ランド・オブ・ストーリーズ〉シリーズに登場する名物キャラクター、マザー・グースの日記です。マザー・グースが今までの人生でどんな冒険《ぼうけん》をしてきたのかが、この日記にはつづられているのです。大ガチョウのレスターとの出会い。〈アザーワールド〉に来ることになった理由。そしてこの世界のあちこちで、歴史的《れきしてき》な有名人たちと送った日々……。そんなあれこれが書かれている、ちょっと不思議《ふしぎ》な日記帳です。

まずは〈ランド・オブ・ストーリーズ〉について、ちょっとだけお話ししておきましょう。このファンタジー小説《しょうせつ》シリーズは、アメリカの俳優《はいゆう》、クリス・コルファーが二〇一二年から二〇一七年にかけて毎年一冊《いっさつ》ずつ書いてきた、全六冊の物語です。双子《ふたご》の兄妹アレックスとコナーが、誕生日《たんじょうび》におばあちゃんからもらったおとぎ話の本の中に入ってしまう、ワクワクするような物語です。一巻《いっかん》から順《じゅん》に……

願《ねが》いをかなえる呪文《じゅもん》
帰ってきた悪の魔女《まじょ》
グリムの警告《けいこく》
仮面《かめん》の男と悪の軍団《ぐんだん》
コナーの四つの物語
魔法《まほう》の扉《とびら》がしまるとき

の六冊なのですが、マザー・グースだけでなく、赤ずきん、白雪姫《しらゆきひめ》、ラプンツェルなどなど、有名なおとぎ話の主人公たちが次々と登場して、これまた物語に登場するおそろしい悪役たちと対決するので、もうお読みになったみなさんも、きっとハラハラドキドキしてしまったのではないでしょうか？

とはいえ、この日記はシリーズ本編《ほんぺん》がはじまるずっと前に書かれたもの、ということになっていますから、アレックスもコナーも登場しません。そのかわり、本編では見ることのできなかったマザー・グースの素顔《すがお》が、たっぷりつまっています。

特《とく》におもしろいのは、マザー・グースが世界のあちこちで歴史的な偉人《いじん》たちと知り合い、知らずしらずのうちに、世界史に残《のこ》る有名な言葉や大発明などのヒントを与えてしまうところです。みなさんもこの日記の中できっと、「え！　あれってマザー・グースのせいだったの？」みたいなエピソードに出会うことでしょう。

レオナルド・ダ・ヴィンチ、ナポレオン、マリー・アントワネットなどなど……偉人たちはマザー・グースとの出会いをとおしていったいどんなことを知り、どんなことを成《な》しとげるのでしょう？

さて、それではマザー・グースについて、すこしだけ説明しましょう。「マザー・グース」はもともと、イギリスなどで昔から親しまれている童謡《どうよう》のことを言うのですが、これを作ったのが、マザー・グースと呼《よ》ばれるおばあさんだった、という伝説《でんせつ》があるのです。本編やこの本でもお酒を飲んだマザー・グースが韻《いん》を踏《ふ》む場面が出てきますが、そうした童謡は、子供たちに英語のリズムをおぼえさせるために歌われるものだったのです。

こうした童謡にはどんどん新しいものが増《ふ》えていき、やがて「ナーサリー・ライム」という呼びかたもされるようになりました。簡単《かんたん》にいえば、古い童謡が「マザー・グース」、そして古い童謡と新しい童謡をまとめたものが「ナーサリー・ライム」と呼ばれるわけです。もともとは言葉のリズムをおぼえさせるためのものですから、歌詞《かし》そのものにはあんまり意味がなかったりします。そのため、読んでも読んでもわからない不思議な謎《なぞ》めきがあり、英語の国ではない日本でも、マザー・グースは昔からたくさんのファンに愛《あい》されてきたのです。
歌がよく知られているだけではありません。たとえば、この本に登場する「ハンプティ・ダンプティ」などは、『鏡《かがみ》の国のアリス』をはじめ、とても多くの物語や映画、アニメ作品などにも出てきます。今までマザー・グースを知らなかったという人も、実は気づいていないだけで、マザー・グースに登場するキャラクターを知っていたり、歌を知っていたりするのではないでしょうか。この〈ランド・オブ・ストーリーズ〉ではちょっと悪そうなおばあさんとして描《えが》かれているマザー・グースですが、実は登場人物の中では、赤ずきんや白雪姫とならぶ超《ちょう》有名人だったわけです。

本編のほうでも、酔《よ》っぱらったマザー・グースが歌をうたう場面が何度か登場しますが、この本を読んでからもう一度読み返してみると、きっともっとおもしろくなると思います。

作者のクリス・コルファーは、『ｇｌｅｅ／グリー』というテレビドラマではじめてテレビ出演《しゅつえん》を果《は》たし、世界的な有名人になりました。二〇一一年のゴールデングローブ賞《しょう》では最《さい》優秀助演男優賞《ゆうしゅうじょえんだんゆうしょう》（ミニシリーズ／テレビ映画部門）を受賞し、その年の『タイム』誌では「世界でもっとも影響力《えいきょうりょく》のある一〇〇人」に選《えら》ばれたのですから、人気の高さもわかるというものでしょう。二〇一二年には『ストラック・バイ・ライトニング（稲妻直撃《いなずまちょくげき》）』というコメディ映画で、主演と脚本《きゃくほん》をつとめています。

そのクリスが、同じく二〇一二年に出版《しゅっぱん》したこの〈ランド・オブ・ストーリーズ〉はすぐにベストセラーになり、映画化が決定。クリスはほかにも絵本やファンタジー小説を書いており、今は、〈ランド・オブ・ストーリーズ〉とは別に『A Tale of Magic（魔法物語）』という小説も出版しています。日本でもこれから出版されるかもしれませんが、クリスの書く物語はとにかく温かく、優《やさ》しいので、これからの作品もとても楽しみです。

また今年中には、赤ずきんによる女王マニュアル『赤ずきん女王の、女王への道（邦題未定《ほうだいみてい》）』が日本でも刊行《かんこう》される予定です。しかもアメリカでは、本編でとてもだいじな役割《やくわり》を演じるゴルディロックスを主役とする本も発売されるのだそうで、こちらも目が離《はな》せません。

さて、残念《ざんねん》ながら完結《かんけつ》してしまった〈ランド・オブ・ストーリーズ〉シリーズですが、実はこの六冊で終わりではありません。この『マザー・グースの日記』のようなスピンオフが、まだまだたくさんあるのですから！　いずれ本編が映画化されることになっていますが、いったいどんな作品になるのか、今から本当に待ちどおしいです。

それでは、みなさんにもすてきな魔法の旅が待ち受けていますように。

田内志文《たうちしもん》

クリス・コルファー
CHRIS COLFER

1990年5月27日生まれ。アメリカ合衆国出身の俳優、歌手、脚本家、作家。テレビドラマ『glee／グリー』のカート・ハメル役で知られ、同役での演技により、2011年第68回ゴールデン・グローブ賞最優秀助演男優賞を受賞。同年、『TIME』誌の「世界でもっとも影響力のある100人」に選ばれた。2012年より“The Land of Stories”シリーズを発表、全米でベストセラーに。2017年同作の映画化が決定し、監督・脚本を務めることが発表された。

田内志文
SIMON TAUCHI

翻訳家、文筆家、スヌーカー・プレイヤー、シーランド公国男爵。訳書に『ザ・ランド・オブ・ストーリーズ』シリーズ（平凡社）をはじめ、『Good Luck』（ポプラ社）、『こうしてイギリスから熊がいなくなりました』『失われたものたちの本』（東京創元社）、『フランケンシュタイン』『オリエント急行殺人事件』（KADOKAWA）などがあるほか、『ろうそくの炎がささやく言葉』（勁草書房）、『辞書、のような物語。』（大修館書店）に短編小説を寄稿。スヌーカーではアジア選手権、チーム戦世界選手権の出場歴も持つ。

ザ・ランド・オブ・ストーリーズ
THE LAND OF STORIES
THE MOTHER GOOSE DIARIES
マザー・グースの日記

2020年5月20日　初版第1刷発行

著者
クリス・コルファー

訳者
田内志文

企画・編集
合同会社イカリング

発行者
下中美都

発行所
株式会社平凡社
〒101-0051 東京都千代田区神田神保町3-29
電話　03-3230-6593（編集）03-3230-6573（営業）
振替　00180-0-29639

装幀
アルビレオ

印刷・製本
株式会社東京印書館

ISBN 978-4-582-31517-2
NDC分類番号933.7　四六判（19.4cm）　総ページ160
平凡社ホームページ https://www.heibonsha.co.jp/